Sauveur & Fils
saison 2

Marie-Aude Murail

Sauveur & Fils

saison 2

l'école des loisirs
11, rue de Sèvres, Paris 6ᵉ

© 2016, l'école des loisirs, Paris
Loi n° 49.956 du 16 juillet 1949 sur les publications
destinées à la jeunesse : novembre 2016
Dépôt légal : octobre 2017
Imprimé en France

ISBN 978-2-211-23086-5

Mais alors, dit Alice, si le monde n'a absolument aucun sens, qui nous empêche d'en inventer un ?

Lewis Carroll

Précédemment dans
Sauveur & Fils…

Sauveur Saint-Yves est psychologue clinicien à Orléans.

Parmi les patients que nous retrouvons dans cette deuxième saison, il y a :

Margaux Carré, 14 ans, qui se scarifie et qui a fait une TS, tentative de suicide dans le jargon des psys ;
Blandine Carré, la sœur cadette, diagnostiquée hyperactive ;
Ella Kuypens, 12 ans, qui préférerait être un garçon et s'appeler Elliot.
Gabin Poupard, 16 ans, en voie de déscolarisation ;
Alexandra Augagneur, mère de trois enfants, qui vient de quitter son compagnon pour se mettre en couple avec une jeune femme…

Mais Sauveur a aussi une vie privée. Né de parents antillais, il a été adopté par un couple blanc en mal d'enfant. Ses copains d'école à la Martinique l'appelaient Bounty parce qu'il était « noir au-dehors et blanc au-dedans ». À 28 ans, il a épousé Isabelle Tourville, descendante des planteurs qui pratiquèrent l'esclavage sur l'île. Isabelle décède tragiquement en 2010, lui laissant un petit garçon à élever, Lazare.

Lazare Saint-Yves, qui a désormais 9 ans, a pour ami Paul, dont les parents sont divorcés. Sauveur fait la connaissance de Louise Rocheteau, maman de Paul (et aussi d'Alice, 13 ans), et tous deux tombent amoureux.

Semaine du 7 au 13 septembre 2015

Un petit jeune homme, dont la jambe droite trépidait d'impatience, était assis dans la salle d'attente de monsieur Saint-Yves. Très mince et encore peu développé, il flottait dans sa veste noire. Une chemise blanche et une cravate finement striée achevaient de lui donner un air de dimanche et fêtes. Ayant poussé un soupir d'ennui, le garçon se replongea dans sa lecture. Il tenait en main un vieux livre relié de la collection Rouge et Or. *François le Champi* de George Sand.

La porte s'entrouvrit et une voix de basse murmura :

– Ella ?

Le petit jeune homme fit claquer son livre en le refermant. Tout bien considéré, c'était une jeune fille.

Elle suivit son psy dans le cabinet de consultation qui était en face de la salle d'attente et resta un instant debout à regarder autour d'elle.

– Ça fait drôle d'être là.

– Tu as passé de bonnes vacances ?

Ils se regardèrent, surpris d'être émus.

– C'était long, dit-elle.

Sauveur Saint-Yves était vêtu comme Ella d'une veste sombre et d'une chemise blanche. Mais la ressemblance s'arrêtait là. C'était un Noir athlétique de 1,90 mètre, avec un trait de barbe et de moustache lui encerclant les lèvres.

— Bonjour, madame Gustavia !

Ella fit deux pas et s'accroupit devant la cage posée sur une table basse. Comme il était 18 heures, madame Gustavia avait sa mine chiffonnée et ses oreilles rabattues de hamster mal réveillé.

— Elle va bien ?

— Elle mange tout et n'importe quoi. Quand elle était enceinte, je trouvais ça normal. Mais maintenant, c'est compulsif. Elle est boulimique.

— Il y a des psys pour hamster ?

— Oui. Il y a moi, répondit Sauveur, faussement sérieux.

— Quand je serai grand, dit Ella en se redressant, j'aurai un chien. Mes parents ne veulent pas d'animaux à la maison.

Sans relever l'accord de l'adjectif au masculin, Sauveur lui désigna un siège, et lui-même s'assit dans son fauteuil.

La reprise d'une thérapie peut être laborieuse après deux mois et demi d'absence. Ella cherchait un sujet de conversation tandis que Sauveur observait du coin de l'œil ce visage intelligent aux lèvres et aux arcades sourcilières fermement dessinées, à la peau très pâle et aux cheveux bruns coupés court. Huit mois plus tôt, la maman d'Ella, madame Kuypens, était venue consulter avec sa fille pour un problème de phobie scolaire. Il s'était avéré en cours de thérapie qu'Ella, au seuil de la puberté, était perturbée par un secret de famille. Ses parents lui avaient caché qu'elle était née après la mort in utero d'un petit frère qui aurait dû s'appeler Elliot.

— Tu ne portes plus tes lunettes ?

— Maman m'a acheté des lentilles pour mes 13 ans.

— Ça va avec tes parents ?

— Moyen. Papa ne comprend pas pourquoi je continue ma thérapie. Pour lui, je suis « guérie ». Je retourne normalement au collège. J'ai même eu les encouragements au dernier trimestre.

— Félicitations.

— Non, les encouragements seulement.

— Félicitations pour tes encouragements.

Ils rirent du malentendu, et le silence revint. Sauveur chercha une autre ouverture.

— Et cette rentrée, ça se passe bien ?

— Ça va.

Ella prit une inspiration, baissa la tête comme si elle s'apprêtait à plonger. Et plongea.

— Je suis en 4ᵉ A. Je connais pas tellement les gens. Il y a un garçon qui s'appelle Jimmy et qui est un geek total avec les grosses lunettes, l'acné, l'appareil dentaire, tout quoi ! Je me moque pas. C'est juste… Bon, bref. Il ne parle que de jeux vidéo, il est à fond dans *Call of Duty*. J'y joue aussi. Alors, on a un peu discuté. Il a demandé à être mon ami. Sur Facebook, je veux dire.

Le garçon était devenu le 32ᵉ ami d'Ella. Puis il lui avait demandé si elle voulait sortir avec lui en MP.

— Sortir en MP ?

— Mais non ! Il m'a demandé en MP si je voulais sortir avec lui. MP, c'est la messagerie privée de Facebook.

Elle articulait comme si elle avait affaire à un sourd ou un idiot. Un adulte. Sauveur s'amusait intérieurement sans rien laisser paraître.

— Et tu as accepté ?

— Moi ? se récria Ella, les yeux exorbités. J'ai pas envie de sortir avec ce mec ! Avec aucun mec. J'ai pas envie de sortir. Toutes leurs histoires, là ! Arielle qui sort avec Élie, Ludivine qui est en couple avec Théo. Tu parles, il lui arrive à l'épaule ! Oh, un truc marrant que je voulais vous raconter : en classe de SVT, le prof trouve que les garçons parlent trop. Il a décidé de nous mettre par deux, une fille et un garçon, pour qu'il y ait moins de bavardage. Moi, il m'a dit de me mettre avec Sam.

— Et Sam t'a aussi demandé de sortir avec lui ? supposa Sauveur, qui avait une grande confiance dans le pouvoir d'attraction d'Ella.

— Ah oui, sûrement, ricana-t-elle. Sam, c'est Samantha. C'est une fille. Le prof m'a pris pour un garçon !

— Tu vas au collège habillée comme ça ?

— Quand même pas. Ça, c'est pour…

Elle laissa sa phrase en suspens et ses joues se teintèrent comme si une rose y dépliait ses pétales. Sauveur comprit que le travestissement lui était réservé.

– Et un autre truc que je voulais vous dire. Pour le latin, on est regroupés avec les autres quatrièmes. J'ai fait la connaissance d'une fille de 4ᵉ C qui vous connaît. Alice Rocheteau.

Sauveur fit son « mm, mm » habituel pour se donner le temps de réfléchir. Devait-il ou ne devait-il pas admettre qu'il s'agissait de la fille de Louise Rocheteau, la jeune femme avec laquelle il projetait depuis quelques semaines de faire vie commune ?

– Vous êtes « ami » avec sa mère, insista Ella.

– Tu viens de passer en mode VP.

– Vépé ?

– Vie privée.

C'était un rappel de ce qu'était une psychothérapie, un lieu de paroles pour se soigner, pas un papotage entre amis. Ella, un peu vexée, bugga un moment avant d'enchaîner :

– De toute façon, je n'aime pas cette fille. Aucune des filles en latin. Elles se moquent de la prof dans son dos.

– Si je me souviens bien, c'était la prof qui te terrorisait l'an dernier.

Elle s'était même évanouie de frayeur en cours, et c'était ce genre de manifestation hystérique qui avait amené l'infirmière du collège à parler de phobie scolaire.

– Mais maintenant, j'adore madame Nozière ! décréta Ella, l'air extasié.

– C'est le nom de ta prof de latin ?

– Oui. Elle raconte trop bien : la vie à Rome, la mort

15

de Cicéron. J'ai même pleuré, parce qu'on lui a coupé la tête et les mains quand même ! Les autres filles se sont foutues de moi. Depuis, il y en a qui m'appellent « Pas carré ».

— Pacaré ?

— Une blague. Parce que « Cicéron, c'est pas carré ». Elles sont cons. Dans mon dos, elles chuchotent comme ça : « Pas carré, Pas carré. »

Elle essaya de les renvoyer à leur connerie d'un haussement d'épaules. Elle était contrariée. Cette année de quatrième ne s'annonçait pas très bien. Son visage s'éclaira l'instant d'après, car elle avait encore la légèreté d'humeur de l'enfance.

— Je voulais vous montrer mon roman !

— Celui que tu lisais dans la salle d'attente ?

— Non, ça, c'est *François le Champi* que vous m'avez donné. Vous vous rappelez ? Vous m'avez raconté que vous l'aimiez quand vous étiez ado et les autres disaient que vous aviez des goûts de fille.

Elle marqua un temps avant de lancer sa pique.

— C'était pas de la vie privée, ça ?

— Absolument. Je suis un thérapeute faillible.

— Faillible, ça veut dire…

— Que je peux me tromper. Que je me trompe. Désolé.

Ella eut un coup au cœur. Non seulement elle avait pour thérapeute le Black le plus beau de la Terre, mais c'était aussi l'adulte le plus sympa (ex aequo avec madame Nozière). Tout en bavardant, elle fouillait dans son sac à dos et en sortit un vieux cahier sur lequel elle écrivait son roman. Elle l'avait commencé pendant les grandes vacances, elle avait déjà écrit trente pages.

— Et j'ai plein d'idées pour la suite!

Elle tendit le cahier à Sauveur, qui lut sur la page de garde : *Le Garçon Sans-Nom*, roman d'Elliot Kuypens.

— Je peux feuilleter?

— C'est pour vous, je vous le laisse! Il faut pas trop regarder les fautes! C'est un peu inspiré de *François le Champi*, mais j'ai pas copié.

Sauveur s'efforçait de garder un visage neutre tandis qu'il fondait de tendresse. La petite s'était appliquée dans son écriture, elle avait fait des chapitres, 12 pour seulement trente pages.

— Je ne peux pas le garder, dit-il en le lui rendant.

— Vie privée, diagnostiqua Ella, fataliste.

— Non. Il faut que tu termines ton histoire. À ce moment-là, tu décideras de ce que tu en fais. Stephen King a dit : «Écrivez, porte fermée, relisez-vous, porte ouverte.» Pour le moment, tu écris. C'est ton secret. Quand tu auras fini, tu auras besoin de lecteurs. Et je peux en faire partie.

Il sortait de son rôle, qui se limitait au temps de la thérapie dans le cabinet de consultation. Mais Ella devait être encouragée dans ses premiers pas d'écrivain.

— Elliot Kuypens, c'est ton nom de plume?

— C'est mon nom. À l'intérieur de moi. Dans ma tête. C'est mon nom, dit-elle avec ferveur.

– Mm, mm.

– Et ici, j'aimerais bien être Elliot. Entre nous. Si c'est possible ?

Sauveur fit semblant de ne pas comprendre et murmura :

– Comment cela ?

La rougeur envahit de nouveau les joues d'Ella tandis que ses yeux se troublaient. Sauveur n'aimait pas la voir aux prises avec son émotivité, mais il s'interdit de lui porter secours.

– Ici, reprit-elle en s'arrachant chaque mot. Ici. Est-ce que c'est possible… Vous pourriez m'appeler Elliot ?

Repousser sa demande, c'était cruel. Accepter sa demande, c'était flatter son fantasme d'un changement d'identité sexuelle.

– Je vais y réfléchir. On se voit lundi prochain, 18 heures ?

Ella releva la tête et inspira bruyamment comme au sortir d'une eau profonde.

– Oui !

Il accompagna l'adolescente jusqu'à la porte principale, ce qu'il ne faisait que rarement, laissant ses patients remonter seuls le couloir. La main sur la poignée, il dit avec beaucoup de naturel :

– À la semaine prochaine, Elliot.

Un sourire radieux le récompensa et Elliot-Ella se faufila dans l'entrebâillement. Sauveur revint à pas lents vers son cabinet de consultation. Un thérapeute faillible, oui, c'était bien ce qu'il était. Il releva sa manche pour consulter l'heure à son poignet. Il avait dix minutes de battement avant le prochain rendez-vous. Il en profita pour franchir la porte fermée à double tour qui séparait son espace professionnel de sa VP.

De l'autre côté, dans une grande cuisine qu'éclairait le soleil couchant, un jeune garçon était en train de taper un message sur un téléphone hors d'âge.

— Lazare, je t'ai déjà demandé de ne pas utiliser mon Nokia, lui reprocha son père.

— T'as qu'à m'acheter un portable, maugréa Lazare, appuyant trois fois pour obtenir la lettre C, puis deux fois pour le E.

— En CM1, on n'en a pas besoin.

— Ben, si. La preuve.

Sauveur lui prit le téléphone des mains d'un geste assez brusque. L'insolence récente de son fils le piquait au vif.

— Mais papaaa! sanglota presque Lazare. C'est Gabin. Il est tout seul chez lui.

Sauveur objecta que Gabin allait avoir 17 ans et qu'il pouvait se faire cuire des nouilles en attendant sa mère.

— Sa mère est aux urgences à Fleury, riposta Lazare. Elle voyait des gens dans sa salle à manger.

— Elle voyait des gens? fit Sauveur qui, par déformation professionnelle, répétait ce qu'il hésitait à comprendre.

— Des gens qui n'existent pas. Elle leur parle. Elle parle avec un monsieur qui a un petit singe autour de son cou.

19

– Elle a des hallucinations ?

Madame Poupard, la mère de Gabin, avait déjà fait plusieurs passages aux urgences psychiatriques de Fleury. Les médicaments avaient stabilisé son état, mais, comme beaucoup de malades, elle avait sans doute arrêté d'elle-même son traitement en s'estimant guérie.

– J'ai encore une patiente, dit Sauveur en rendant le téléphone à son fils. Invite Gabin à dîner.

– Ah, quand même, fit Lazare sur le ton de « te voilà devenu raisonnable ».

Sauveur ne trouva rien à répondre. Par moments, son fils l'horripilait. À vivre seul avec son père, il avait grandi trop vite. Dans une famille recomposée, se rassura Sauveur, il reprendra sa place d'enfant.

La patiente suivante fit ce qui était indiqué sur la porte : « Frapper et entrer », actionnant trois fois le heurtoir en forme de poing, puis s'installant en salle d'attente, avec l'espoir que monsieur Saint-Yves ne la laisserait pas moisir pendant une demi-heure.

– Mademoiselle Motin ?

Au téléphone, Pénélope Motin avait parlé d'un « problème qui urgeait ». À cause de son vocabulaire et de son débit précipité, elle avait fait à Sauveur l'effet d'une jeune personne, pas plus de 20 ans. Or, dans sa tenue de *working girl*, chemisier clair sous une veste cintrée, avec sa bouche redessinée au rouge Chanel, elle tentait d'afficher dix ans de plus au compteur. Elle s'installa à mi-chaise, les jambes bien jointes, un peu fléchies sur la droite, comme on l'apprenait aux jeunes filles d'autrefois quand elles portaient une jupe.

– Eh bien… Que puis-je pour vous ?

Malgré lui, Sauveur avait poussé un léger soupir en posant sa question. En fin de journée, il lui arrivait d'espérer qu'on lui répondrait : « Mais rien du tout. Je vais très bien ! »

– Vous me demandez pas mon adresse, mon zéro-six…

Un demi-sourire égaya le visage de Sauveur.

– Je sais votre nom. Vous voulez m'en dire plus sur votre état civil ?

– Oh, moi, je m'en fous ! Si ça vous intéresse pas…

Était-elle susceptible ? Agressive ? Sauveur, ayant le sentiment que n'importe quoi pouvait sortir du chapeau, voulut cadrer l'entretien.

– Vous avez évoqué au téléphone « un problème qui urgeait ». Est-ce que vous souhaitez m'en parler tout de suite ?

– Ah, bon ? C'est comme on veut ! fit mademoiselle Motin sur un ton outré.

– En effet.

– En effet quoi ?

– On parle de ce qu'on veut. Autrement, ça s'appelle un interrogatoire de police… ou une conversation avec sa mère.

Il se demanda d'où il sortait cette vieille blague pourrie. Heureusement, elle fit rire Pénélope.

— Alors, je vais vous dire ce que je dis pas à ma mère, fit-elle, retrouvant son naturel au point de s'avachir sur le dossier de sa chaise. Je suis tombée amoureuse d'un mec de 40 ans. Moi, j'en ai 26. Ça vous intéresse pas, mais je vous le dis quand même. L'écart d'âge, ça me gêne pas. Jusqu'à 30 ans, les hommes, c'est tous des cons. Mais il est marié et il a des enfants. On va l'appeler… Serge. Pour dire un nom.

— Et Pénélope Motin, c'est aussi « pour dire un nom » ? demanda Sauveur, cédant à une intuition.

— Comment ça ? fit-elle en se redressant.

— Il y a une illustratrice de bandes dessinées, qui s'est fait connaître sur le Net, Pénélope Bagieu, et une autre illustratrice, assez célèbre, qui s'appelle Margaux Motin. Vous auriez aussi pu choisir Margaux Bagieu « pour dire un nom ».

Elle l'écoutait parler, les yeux écarquillés, la bouche entrouverte, comme si elle posait pour la statue de la Stupéfaction (pour dire un nom).

— Mais comment vous avez deviné… ? balbutia-t-elle.

— Passé 30 ans, les hommes sont moins cons, lui suggéra-t-il.

Tout était pipé chez cette demoiselle. Le nom, la tenue vestimentaire, peut-être aussi son histoire d'homme marié. En même temps, elle était là, et sa présence avait un sens.

— Vous pouvez garder l'anonymat, cela ne me dérange pas. Dites-moi seulement pourquoi vous êtes venue…

— Je suis enceinte.

– D'accord.

– Quoi d'accord ?

– C'est juste une manière de vous signifier que je vous écoute... Désolé.

– Désolé de quoi ?

Cette fois, Sauveur soupira franchement.

– On ne va pas avancer si vous accrochez sur toutes mes petites manies de langage... Reprenons : vous êtes enceinte de Serge, c'est ça ?... Il est marié et il n'a pas l'intention de quitter sa femme ?

– Vous en êtes sûr ?

– Non, je vous pose la question.

– Moi, ma question, c'est de savoir si je garde le bébé. Ou pas.

– À quand remonte le début de votre grossesse ?

Pénélope venait de faire le test parce que ses règles avaient du retard, et il était positif. Elle n'avait encore été examinée ni par son médecin ni par sa gynécologue.

– J'ai horreur qu'on me tripote.

– Mm, mm.

– Quoi : « Mm, mm » ?

Regard fixe de Sauveur.

– Ah, ouais, c'est encore une manie ! Mais je fais quoi, moi ? Je le garde ou pas ? Vous feriez quoi, à ma place ?

– Je ne pourrai vous aider, mademoiselle Motin, que si je reste à ma place. Qu'est-ce que vous inspire le fait d'être enceinte ?

– Ce que ça m'inspire ! ? fit-elle, éberluée. Ça m'inspire

que ça va me coller des vergetures. Ma mère a pris 20 kg pour moi, elle en a perdu que la moitié après ma naissance. Alors, tu peux dire adieu aux slims ! Même si c'est des Levi's, ça va te boudiner. Et pourtant c'est une super marque avec de l'élasthanne !

Plus elle parlait, plus Sauveur était perplexe.

– Vous êtes majeure ?

– Majeure ? Mais t'es pas bien ? J'ai 26 ans, je t'ai dit !

Les premières rides d'expression au coin des yeux semblaient le confirmer.

– De toute façon, je vais pas le garder. C'est moi qui décide pour moi. Pas mon mec ou ma mère.

– C'est votre décision ?

– Oui.

– Faire une IVG ?

– Oui.

– Dans ce cas, je veux dire : si vous avez arrêté votre décision, pourquoi êtes-vous venue me voir ?

– Pourquoi je… Ben, pour…

Elle resta un instant, les yeux dans le vague.

– Pour faire le point.

Elle parut si satisfaite de cette expression qu'elle la répéta.

– Eh bien, faisons le point, dit Sauveur en écho.

Puis il attendit. Une minute. Deux minutes. Pénélope croisa, décroisa les jambes, s'affaissa, se redressa, soupira, se mordilla le bout des doigts, sortit son portable, le manipula, le rangea.

— Mais c'est quoi, cette thérapie de merde ? Tout le monde dit que vous êtes super fort !

— Je suis flatté de cette bonne opinion. Qui est « tout le monde » ?

— C'est pas le problème.

— Mademoiselle Motin, est-ce que vous voudriez avoir la gentillesse de me dire où est votre problème parce que je suis un peu largué ?

Mangeant à demi les mots, disloquant les phrases, Pénélope se confia enfin. Sa jeunesse foutue en l'air. Ce mec trop vieux pour elle. Même pas fun. Avec deux enfants, en plus. Et le bébé, tu crois qu'il va t'aimer, qu'on va te l'envier ? Mais c'est juste chiant. Le jour, la nuit, tu l'as tout le temps sur les bras. Tu peux à peine le refiler à ta mère. Tu n'as pas la thune pour te payer une nourrice. Il n'y a pas de place pour toi à la crèche parce que tu ne travailles pas !

— Mademoiselle Motin, l'interrompit Sauveur en prenant sa voix d'hypnotiseur, vous êtes en train de me dire que vous êtes déjà maman.

— J'ai accouché il y a... un an.

Elle se mit à pleurer.

— Je croyais que ça serait le top d'avoir un bébé à moi. Mais c'est juste comme d'être enfermée en prison !

Sauveur lui tendit sa boîte de Kleenex.

— En plus, je dois faire semblant d'être heureuse.

Elle se moucha en se tirant vigoureusement sur le nez.

— Pourquoi devez-vous faire semblant d'être heureuse ?

— Mais pour Facebook ! s'écria-t-elle comme si elle s'adressait à un habitant de la Lune.

— Pardon ?

— Pour les photos sur Facebook ! Comme ça. (À travers ses larmes, elle fit un grand sourire en banane.) Autrement, tu imagines ce que disent tes amis ? « La pauvre fille, elle l'a cherché. » Mais moi, je ne poste que des photos où je suis bien sapée, bien maquillée. Et je mets des tenues très petit mec à A... (Elle toussota, le temps de trouver un prénom à son fils :)... Anatole. Je lui ai acheté une doudoune Tartine et Chocolat, 150 euros, avec la petite salopette en jean de chez Jacadi, 95 euros. Les copines m'ont mis en com : « Il est trop chou ! » À ce prix-là, il peut, hein ?

Sauveur se fit préciser par Pénélope qu'elle n'était pas de nouveau enceinte.

— Ah non, c'est bon d'une fois.

Elle se tamponna les yeux avec le mouchoir et constata à mi-voix, l'air très contrarié :

— Putain, ce waterproof, c'est de la merde.

Il la laissa méditer, sans pouvoir deviner si c'était sur la qualité de son mascara ou le sens de l'existence. Puis à la question qu'elle lui posa sur un ton excédé : « Alors, on fait quoi ? », il résista à la tentation de lui répondre par la blague de Lazare : « On fai... blit », et lui proposa d'entamer une psychothérapie à raison d'une séance par semaine pour «faire le point sur sa vie». À sa grande surprise, elle accepta et parut même très contente de prendre un rendez-vous pour le lundi suivant.

— Est-ce que je dois vous inscrire sous le nom de Pénélope Motin ?

— Ou Margaux Bagieu. J'ai pas de préférence.

Sauveur ferma la porte au verrou derrière elle. Une fois la journée de consultations terminée, l'entrée principale, celle qui donnait sur la rue très bourgeoise des Murlins, était condamnée. Les visiteurs devaient dès lors emprunter la venelle du Poinceau, aux allures campagnardes, et sonner à la grille du jardin.

— Gabin est arrivé ! s'écria Lazare dès que son père l'eut rejoint dans la cuisine. Il a pris son hamster !

Sur un petit écran de contrôle venait d'apparaître l'image en noir et blanc d'un jeune homme brandissant une cage à hauteur de son visage. Cette installation sécuritaire, qui désolait Sauveur et réjouissait son fils, était la conséquence d'une agression qui avait eu lieu dans la maison au mois de février précédent, où Lazare aurait perdu la vie sans l'intervention de Gabin.

Comme toujours, lorsque les deux garçons se retrouvaient, il ne fut question que de hamsters. Celui de Gabin, le bien nommé Sauvé, était le fils de madame Gustavia. Le jeune homme posa la cage au centre de la table comme si Sauvé était le plat principal.

— C'est pas croyable, il passe sa vie à enfoncer le museau entre les barreaux comme s'il voulait s'échapper

27

et, quand je lui ouvre la porte, il va se cacher dans sa maison.

— C'est ce qui se passe dans 90 % des thérapies, commenta Sauveur. Je vous fais des hot-dogs ?

— Cool, dit Lazare avant même que Gabin se soit servi de son exclamation favorite.

Gabin était l'idole de Lazare, et Sauveur aurait préféré que le modèle fût plus... comment dire ? plus stimulant.

— Tu dors en ce moment ? demanda-t-il au jeune homme.

— Ça m'arrive, répondit Gabin de sa voix ensommeillée.

— Tu passes le bac de français cette année, non ?

— C'est ce qu'on m'a dit, fit le garçon du même ton amorti.

Gabin zonait parfois sur *World of Warcraft* pendant six ou sept heures d'affilée, de préférence la nuit. D'où ses absences scolaires à répétition, surtout en début de matinée. À partir de 11 heures, il se contentait de dormir en cours, la tête au creux des bras. Les profs le laissaient en paix, désarmés par sa bonne gueule un peu cabossée, à la Depardieu jeune, et son regard inexpressif, qui le faisait passer pour plus crétin qu'il n'était. Bien que n'ayant aucune activité physique, Gabin bénéficiait d'une haute stature et d'une solide musculature, léguées par des ancêtres plus méritants que lui. Comme il n'aimait pas contrarier la nature, il laissait croître sa chevelure, ce qui lui donnait – notamment à son réveil – une ressemblance avec Victor, l'enfant sauvage de l'Aveyron. À part cela, c'était un gentil garçon, dont il ne fallait espérer aucune espèce d'amélioration.

– Tadam! s'exclama Lazare. Voilà madame Gustavia!

Il était allé chercher la cage dans le bureau de consultation de son père. Le grand projet de la soirée était une rencontre au sommet, c'est-à-dire sur la table de la cuisine, entre mère et fils. Dès que la porte de sa cage fut ouverte, madame Gustavia s'avança au-dehors, l'odeur de la saucisse Herta entrant pour une bonne part dans son esprit d'aventure.

– Vous auriez pu attendre qu'on ait fini de dîner, marmonna distraitement Sauveur.

En fait, il avait hâte d'expédier les deux garçons dans leur chambre respective à l'étage du dessus, car Louise Rocheteau ne tarderait pas à sonner à la grille du jardin.

– Vous voyez ce que je vous dis, fit Gabin, s'adressant à Sauveur. Quand j'ouvre la porte, Sauvé file à l'autre bout de la cage.

Gabin vouvoyait celui qui avait été son psychothérapeute, et Sauveur ne s'opposait pas à ce qu'il considérait comme une marque de respect.

– On n'a qu'à mettre un bout de saucisse dans la cage de Sauvé pour attirer madame Gustavia, suggéra Lazare, qui espérait encore que les deux hamsters allaient se tomber dans les bras, métaphoriquement parlant.

– C'est stupide, fit Gabin qui, en conséquence, glissa une rondelle de saucisse entre les barreaux.

Madame Gustavia, nez au vent, moustaches vibrionnantes, s'avança en zone interdite. Les deux garçons suspendirent leur souffle. Ils savaient, pour l'avoir lu un milliard de fois sur un site dédié à la hamstérologie, que les hamsters, surtout les femelles, ne supportent pas leurs congénères. D'ailleurs, dès qu'elle aperçut son cher fils, madame Gustavia poussa un horrible grognement, se dressa sur les pattes postérieures et, les pattes avant en position de boxe, ouvrit sa gueule pour découvrir ses jolies incisives. Ni une ni deux, le courageux Sauvé se renversa sur le dos, les pattes aussi raides que s'il était mort depuis vingt-quatre heures.

— Putain, ce truc de ouf, murmura Gabin.

— Enlevez la femelle de la cage ! s'écria Sauveur, pour une fois sortant de ses gonds. Elle va bouffer l'autre !

Mais madame Gustavia, avisant la rondelle de saucisse, la cala entre ses joues et ressortit en trottinant.

— Fermez cette cage, s'énerva Sauveur. Vous êtes vraiment...

Il eut envie de traiter de tous les noms les deux garçons, qui étaient explosés de rire. Une sonnerie grésilla à ce moment-là et Louise, apparaissant à l'écran, fit un petit bonjour de la main.

— Youhou, je vois une belle petite femelle skons ! fit Gabin en prenant la voix avantageuse de Pépé le putois.

Puis il chanta sur un ton canaille : « *C'est si doux, le rendez-vous, hou, hou, Châteauneuf, Gigondas, c'est si bon quand on s'embrasse...* » Sauveur, que le côté farfelu de Gabin enchantait malgré lui, lui donna une pichenette sur le crâne, et Louise entra au beau milieu d'un chahut de garçons, Gabin poursuivant Lazare avec des bonds de putois, zdong, zdong, dans une imitation digne du cartoon de la Warner Bros. Dans un dernier bond, Gabin bouscula Louise. Zdong.

— Mais ils vont se calmer, tous les deux, gronda Sauveur. Fichez-moi le camp dans vos chambres !

— Bonsoir Louise ! lança Lazare tout en se sauvant.

— Bonsoir, ma chérie ! glapit Gabin, emporté dans son imitation putoise. Ah, plus elles sont timides, plus je les aime !

Quand la tornade se fut éloignée, Sauveur jeta un regard interrogatif à Louise, sourcil levé, espérant que l'accueil de Gabin ne l'avait pas fâchée. Sans faire de commentaire, Louise lui passa les bras autour du cou. Ils étaient amants depuis cinq mois, et chaque retrouvaille lui semblait une première fois. Ils s'embrassèrent longuement comme au cinéma. Louise n'en revenait pas d'avoir conquis ce grand gaillard si confortable. Son ex-mari avait été sa seule histoire d'amour, et elle ne s'était jamais sentie en sécurité avec lui. D'ailleurs, il l'avait trahie.

— C'est joli, ce chemisier blanc, la complimenta Sauveur.

Il reprenait souffle en l'admirant à bout de bras.

— Tu trouves ? minauda-t-elle. J'ai hésité à l'acheter. Le blanc, c'est fade pour une blonde. C'est le noir qui me va le mieux.

— Ah, d'accord. Tu sors avec moi pour mettre ton teint en valeur.

— On pourrait continuer cette discussion au lit ?

S'apercevant que cette phrase exprimait un peu crûment son désir, Louise fit semblant de frissonner en ajoutant qu'il faisait froid dans la cuisine…

✦ ✦ ✦ *Espace réservé à la VP* ✦ ✦ ✦

Avant de s'endormir, Sauveur avait pour habitude de passer en revue les huit ou neuf thérapies que comportait sa journée de psychologue clinicien. Qu'est-ce qui avait bien marché ? Qu'est-ce qui avait cloché ?

Il y avait eu cette maman d'un petit garçon dont le jumeau était mort un an auparavant. Le survivant, Édouard, qui avait 6 ans, faisait de son mieux pour consoler sa maman. Sauveur avait le pressentiment que la dépression le guettait, lui, et non pas elle. Bien sûr, il pouvait se tromper, il était faillible, comme il l'avait dit à la petite Ella. Ella… ou Elliot ? L'adolescente essayait-elle de remplacer son petit frère mort ou était-elle une authentique *gender non conforming kid*, une enfant ne se conformant pas à son sexe de naissance ? Et Pénélope Motin, cette fausse blonde aux sourcils noirs ? Mais tout était faux en elle… Une mythomane ? se demanda Sauveur. Il allait s'endormir sur cette interrogation quand une voix lui chuchota à l'oreille :

— Tu dors ?

— Non.

— Tu es toujours d'accord pour qu'on fasse un essai en fin de semaine ?

De façon exceptionnelle, Louise allait récupérer ses enfants, Alice et Paul, dès le vendredi soir, à la demande de son ex-mari, et tant qu'à donner dans l'exceptionnel, elle projetait de s'installer avec eux rue des Murlins pour la durée du week-end.

— C'est toujours d'accord, lui confirma Sauveur.

— Mais Gabin ?

Quand il squattait chez les Saint-Yves, Gabin occupait le canapé-lit qui avait été attribué d'avance à Alice, la fille aînée de Louise.

— Il est là pour deux-trois jours, répondit Sauveur. Sa mère est de nouveau hospitalisée, mais je le renvoie chez lui pour le week-end.

— Tu en es sûr ?

— Pourquoi tu me poses cette question ?

— Parce qu'il fait un peu ce qu'il veut chez toi. C'est presque ton deuxième fils.

Sauveur avait une ouïe très fine qui lui permettait de percevoir la moindre inflexion dans les voix, et dans celle de Louise, pourtant si douce, perçait une pointe de jalousie. Craignait-elle que Gabin prenne dans le cœur de Sauveur la place de ses enfants ou même sa propre place ?

— Gabin n'est pas mon fils et il sera chez lui vendredi.

*
* *

33

Le lendemain matin, Sauveur reçut à 9 h 45 un jeune Samuel de 16 ans, qui en était à son quatrième « râteau » en deux mois et se demandait « si ça valait encore le coup d'essayer ». Le garçon, qui était un peu négligé, obligeait Sauveur à aérer après son passage. La sonnerie du téléphone sur son bureau lui permit de s'éloigner un instant.

— Oui, allô ? Ah tiens, bonjour, qu'est-ce qui t'arrive ?

C'était le docteur Dubois-Guérin, médecin généraliste, qui envoyait certains de ses patients à son collègue psychologue. Cette fois-ci, il s'agissait d'une Antillaise.

— De la Martinique comme toi. Elle m'a dit qu'elle était... j'ai oublié le terme exact. En gros, on lui a jeté un mauvais sort.

— Elle a été quimboisée.

— C'est ça, fit le docteur Dubois-Guérin, très content que Sauveur percute immédiatement. Si je l'adresse à un psychiatre, il va la diagnostiquer paranoïaque et la faire interner, tandis que si je te l'envoie...

— ... on égorgera une poule noire et on boira son sang. C'est gentil d'avoir pensé à moi.

Comme il revenait s'asseoir en face de Samuel, il intercepta son regard amusé. Le garçon avait suivi l'échange.

— Et pour moi, dit-il, vous auriez pas un truc vaudou pour que je tombe les filles ?

Sauveur eut envie de lui répondre : « Du déo, ça pourrait être bien », mais s'abstint. Toutefois, dès la fin de la séance, il alla ouvrir la fenêtre avec une pensée pour Pépé le putois, et donc pour Gabin. Le jeune homme lui avait

34

certifié la veille au soir qu'il n'avait pas cours avant 10 heures. Il était 10 h 30. Un petit aller-retour côté VP s'imposait.

En quatre grandes enjambées, Sauveur grimpa à l'étage des chambres à coucher. Gabin dormait toujours sous la couette, que Sauveur tira d'un coup sec. Il n'obtint pas même un sursaut.

— Gabin, tu te lèves ou je vais chercher un seau d'eau.

Le jeune homme se redressa et, les jambes croisées en tailleur, fourragea dans sa tignasse puis se gratta le crâne comme s'il avait des poux, offrant une de ses meilleures imitations de Victor, l'enfant sauvage de l'Aveyron.

— Tu n'avais pas cours à 10 heures?

— C'est le matin, là? s'informa Gabin, la voix pâteuse.

— Tu ne m'amuses pas.

— J'essaie pas.

Il rampa jusqu'au bord du lit, se laissa glisser sur le plancher, marcha à quatre pattes avant de se décider pour la station debout, un peu chancelante. Sauveur, en tant que psychothérapeute, était convaincu qu'on a toujours une marge de manœuvre pour progresser. Mais en ce qui concernait Gabin, il craignait qu'on soit arrivé au produit fini.

— Prendre une douche, marmonna le garçon, qui s'éloigna vers la salle de bains en titubant.

— Gabin, il faut qu'on discute. À quelle heure se terminent tes cours?

— Euh…

– D'accord, tu n'en sais rien. Alors, à 18 h 15, dans mon cabinet. Compris ?

– Yes, sir ! beugla Gabin en faisant le salut militaire.

Sauveur secoua la tête, impuissant, puis reprit sa journée de consultations avec une seule interruption pour le croque-monsieur du midi. Ses patients l'appelaient parfois « docteur » et même « docteur Sauveur », attendant de lui quelque miracle qui modifierait le cours de leur existence. Or personne ne sauve personne. Ne change que celui qui veut changer.

– Il n'y a pas de miracle, Gabin.

Le jeune homme était assis en face de lui sur ce canapé où tant de doutes et de déprimes, de peines et de phobies s'étaient succédé. Il était 18 h 20 et Sauveur, sans grande illusion, venait de lui faire un petit sermon.

– Tu veux qu'on parle un peu de ta mère ?

Le garçon, qui fixait le bout de ses chaussures, releva lentement les yeux.

– Il vous a dit, Lazare ?

– Quoi ?

– Elle voit un type qui a un ouistiti sur son épaule.

– J'ai parlé avec le psychiatre qui la suit à Fleury. Elle a des hallucinations, mais elle est consciente que ce sont des hallucinations. Elle voit cet homme, mais elle sait qu'il n'existe pas.

– Il existe peut-être.

– Non.

– Dans une autre dimension ?

– Non.

– J'ai lu un truc où il y avait plusieurs mondes parallèles, des milliards de mondes, avec juste un petit truc différent dans chaque. Il y a peut-être un monde où les gens ont tous un ouistiti sur l'épaule.

– Gabin, s'il te plaît, soupira Sauveur en se massant le front.

Le jeune homme tentait d'esquiver la réalité. La réalité de la maladie mentale.

– Elle va rester quelque temps à Fleury, reprit Sauveur. On ira la voir quand elle sera stabilisée.

Le psychiatre avait paru assez alarmé, l'état de madame Poupard s'étant selon lui beaucoup dégradé, mais Sauveur préféra garder pour lui cette information. Il fit seulement savoir à Gabin qu'il pouvait rester rue des Murlins jusqu'à vendredi, mais qu'il devrait retourner chez lui pour le week-end.

– Hou, hou, fit Gabin, de nouveau métamorphosé en Pépé le putois, la belle petite femelle skons !

– … qui vient avec ses deux enfants, compléta Sauveur.

– Me voilà chassé du terrier. Moche, ça.

Tous deux se regardèrent, le visage impassible, un peu comme au jeu de «je te tiens, tu me tiens par la barbichette». Sauveur craqua le premier et esquissa un sourire.

– Gabin, crois-tu que je vais te laisser tomber ?

– Non… Mais il y a peut-être un univers parallèle où mon canapé-lit est occupé par quelqu'un d'autre, et ça me ferait chier si j'étais dans cet univers-là.

— C'est étonnant ce que tu arrives à exprimer en disant des conneries.

— Cool.

*
* *

Le lendemain, 9 septembre, étant, comme tous les mercredis, le jour des enfants, les crayons de couleur étaient de sortie dans le bureau de monsieur Saint-Yves. À 17 heures, Sauveur recevait son casse-tête préféré, Blandine Carré, 12 ans. L'adolescente présentait une agitation et un défaut de concentration qui lui valaient l'étiquette d'hyperactive, mais Sauveur soupçonnait une dépression masquée. Ou peut-être souffrait-elle seulement du manque d'attention de ses parents, très occupés à se faire payer leur divorce.

— Blandine ?

Sauveur venait d'ouvrir la porte de la salle d'attente, mais celle-ci était déserte.

— Là ! fit une voix partant du sol.

Blandine se tenait accroupie dans un angle de la pièce.

— Je me muscle les cuisses, fit-elle en se redressant. J'ai les jambes comme des allumettes.

— Excellente idée.

Comme Blandine ramassait son sac à dos sur le plancher, il lui demanda si elle avait eu cours cet après-midi.

— Non, pitié. Mais c'est mon père. Le conservatoire ! J'en peux plus de la flûte traversière ! Le mercredi aprèm, c'est fait pour faire rien. Leur truc qu'il faut faire des activités ! En plus que je suis déjà hyperactive !

38

Ce mercredi, Blandine portait un jean troué aux genoux et laissant voir les chevilles, des tennis qui se voulaient blanches et un blouson étriqué. Le menton pointu, le nez retroussé, pas vraiment jolie, pas tout à fait un être humain. Plutôt un lutin.

— Vous avez vu ? J'ai mis des paillettes, dit-elle en agitant ses mains aux ongles rongés, mais vernis.

— *Nice*, commenta Sauveur, qui avait pris avec ses jeunes patients l'habitude de parsemer ses phrases de mots anglais.

— Mon père kiffe pas. Mes barrettes à paillettes, mon stylo à paillettes, mon pull à paillettes. C'est pas son truc, les paillettes.

— Toujours la guerre ?

— Avec mon père ? Non, je l'exploite, fit Blandine, cynique. Il m'a acheté un nouveau téléphone. C'est pas le *mec plus ultra*, comme dit notre prof de latin, mais c'est pas le moins cher.

Sauveur se mordilla l'intérieur des joues pour s'empêcher de rire.

— Est-ce que tu fais toujours des vidéos de PetShop sur YouTube ? s'informa-t-il.

— Ah non, tais-toi, la honte !

Blandine oubliait souvent de vouvoyer son psychothérapeute, le prenant presque pour un copain de classe.

— C'est pour les gosses, les PetShop. Moi, je fais des vidéos de Pullip.

— De ?

– Pullip. Ah, ça, j'en étais sûre, vous connaissez pas !
C'est des poupées de collection très chères, mais genre la
mienne que j'ai eue à mon anniv, 175 euros.

– Ah oui, quand même… Elle est en or massif ?

– Je peux t'en montrer une sur mon téléphone. Parce
que j'ai fait un déballage Jolie Doll samedi, j'ai reçu ma
commande de *taeyang* avec une *wig* rousse, celle que je
demandais à ma mère depuis des siècles, mais pas moyen
avec elle, parce qu'elle trouve que 25 euros, c'est de l'abus.
Du coup, j'ai taxé Mamie.

– Blandine, ralentis ! J'ai décroché au déballage joli
machin. Tu peux me fournir la version sous-titrée ?

Blandine adorait expliquer sa *life* à un adulte qui
l'écoutait vraiment. Jolie Doll, magasin situé à Paris, pouvait être considéré comme La Mecque des fans de Pullip
puisqu'il fallait s'y rendre au moins une fois dans sa vie.
Les provinciales comme Blandine, qui attendaient parfois
des années le moment de faire le pèlerinage, se faisaient
expédier les poupées et leurs habits en passant commande
sur Internet. Le jour où le paquet arrivait à la maison, il
était vivement conseillé de procéder à un déballage filmé
en direct et posté sur YouTube à l'attention de toute la
communauté Pullip, qui commentait la vidéo de : «T'a
trop de chance ! », «Je la veus ! » et autres « C mon *ultimate
dream* ».

– Mais putain, c'est ousque que j'ai mis mon téléfon ?
maugréa Blandine en fouillant le sac jusqu'au tréfonds.
C'est la mort si je l'ai perdu, 220 euros, le cirque que j'ai

fait à mon père pour l'avoir, ah, ouf, le voilà, putain, l'angoisse. Oh là là, tous ces messages ! Ah bah, tu m'étonnes, je l'ai laissé en mode avion pendant cette connerie de flûte traversière.

Sauveur la rappela à l'ordre.

— Ne commence pas à répondre à tes messages, tu feras ça après la séance.

Il tendit la main comme s'il allait confisquer l'objet, mais, avec un cri presque sauvage, Blandine le serra sur son cœur. Ils se dévisagèrent, et l'adolescente se rendit compte que son psychothérapeute était mécontent.

— C'est bon, je me calme, fit-elle avec un petit regard par en dessous.

Elle en était à ses premiers essais de séduction, comme l'indiquait son atroce vernis pailleté.

— Je vous montre mon *taeyang*, c'est une poupée-garçon. Je l'ai eu samedi. Voilà, je l'ai pris en photo. Il est trop choupinet.

Dans un mouvement de fierté quasi maternelle, elle brandit son portable en direction de Sauveur, qui resta un moment dans l'incapacité d'articuler quoi que ce soit.

— J'adore, j'adore ses yeux ! roucoula Blandine. Mais je vais les changer quand même parce qu'un roux, c'est mieux si ses yeux sont verts.

Est-ce qu'elle ne voyait pas ce qu'il y avait sur l'écran ? Une poupée dont la grosse tête chauve était plantée sur un corps malingre, auquel manquaient un bras et un pied.

— Mais il est...

Sauveur hésita entre hideux, horrible et immonde, puis il se contenta de faire observer qu'il était abîmé.

— Ah oui, mais c'est normal, je l'ai eu d'occase à 50 euros. Je vais lui mettre sa *wig* rousse avec la petite mèche rebelle et je vais racheter un set de pieds. Le bras, c'est pas grave, je dirai qu'il a sauté sur une mine.

Elle acheva son thérapeute en ajoutant sur un ton énamouré :

— Je vais l'appeler Sauveur. Je vous montre ma vidéo de déballage ?

— La fois prochaine. Pas tous les plaisirs à la suite.

Blandine jeta le téléphone à 220 euros au fond de son sac avec un petit ricanement. Elle se rendait compte que son psy se payait parfois sa tête. Normal entre potes.

— Je peux vous poser une question sur un truc qui me regarde pas ?

— La réponse a l'air d'être dans la question. Mais vas-y toujours.

— Pourquoi Margaux ne vient plus vous voir ? C'est parce qu'elle s'est suicidée ?

Sauveur écarquilla volontairement les yeux pour que Blandine saisisse l'absurdité de sa phrase.

— Parce qu'elle a fait une tentative de suicide, rectifia-t-elle.

— Ta sœur est suivie par un psychiatre à Fleury.

— C'était un problème trop difficile pour vous ?

— Au moins, tu es cash, remarqua Sauveur.

— Ça veut dire quoi ?

– Que tu ne tournes pas autour du pot, que tu es directe, franche…

– J'ai compris, j'ai compris ! Mais la réponse, c'est oui ou c'est non ?

– Je vais te répondre, Blandine.

Sauveur se laissa quelques secondes de réflexion. Il ne voulait pas la noyer sous les explications.

– Je soigne par la parole, dit-il. Mais dans certains cas, il faut aussi prendre des médicaments, des antidépresseurs ou des anxiolytiques. On doit alors consulter un médecin psychiatre.

À plusieurs reprises, il avait eu envie de demander des nouvelles de Margaux à sa sœur cadette. Mais jusque-là, Blandine n'avait pas paru désireuse d'en parler.

– Est-ce que Margaux va mieux ?

Blandine gonfla les joues dans une mimique qui pouvait signifier aussi bien « je n'en sais rien » que « je m'en fous ». Puis elle regarda ses ongles et dit :

– Mon père trouve que ça fait pétasse, ce vernis à ongles.

– Mm, mm.

– Vous trouvez aussi que ça fait pétasse ?

– Je dois vraiment répondre ?

Sauveur refusait parfois de suivre Blandine dans ses coq-à-l'âne. Elle revint d'elle-même au sujet de conversation.

– Margaux ne va plus en classe.

– Pardon ?

– J'ai dit…

Elle scanda :

– MARGAUX-NE-VA-PLUS-EN-CLASSE.

– Elle est malade ?

– C'est la faute de sa dépression. C'est ce que dit maman. Papa, lui, dit que maman la drogue avec des médicaments. C'est toujours la super-ambiance, comme vous voyez.

Blandine précisa à son thérapeute que sa sœur était allée les trois premiers jours de la rentrée dans sa classe de seconde européenne, puis qu'elle avait refusé d'y retourner. Jusqu'à présent, Margaux avait été une tête de classe, ce dont son père, monsieur Carré, se vantait auprès de ses amis et connaissances, dévalorisant au passage la cadette, qu'il jugeait « limitée ».

– En plus, Margaux me déteste, poursuivit Blandine, parce que je viens vous voir. Elle dit que je lui ai pris sa place.

C'était un grief classique de sœur aînée.

– Peut-être qu'elle va recommencer, dit Blandine en faisant mine de taillader son poignet gauche avec l'index droit. Moi, je veux bien lui laisser ma place ici, si c'est mieux pour elle.

– Personne ne remplace personne, et je dois finir d'être briefé sur les Pullip. Donc, on reprend rendez-vous pour mercredi prochain ?

Blandine sauta joyeusement sur ses deux pieds.

– Okidoki !

Sauveur voyait juste en ce qui concernait son fils : Lazare avait grandi trop vite. Son ami Paul, qui était resté enfant, lui rafraîchissait le cœur.

— Ça fera trois nuits, s'exclama celui-ci en dépliant un à un les doigts, vendredi soir, samedi soir, dimanche soir !

Les deux garçons allaient être réunis sous le même toit, rue des Murlins, et pour tout un week-end. Ils s'étaient réfugiés sur un banc du préau pour savourer d'avance leur bonheur. À la sonnerie, ils se levèrent tous deux avec un soupir. Ils aimaient beaucoup leur institutrice, madame Dumayet, qu'ils avaient déjà eue l'année passée, mais elle les ennuyait un peu.

— Prenez vos coloriages pendant que j'écris le proverbe du jour au tableau, dit-elle dès que ses élèves se furent assis.

Depuis qu'elle avait appris que sa nièce Doriane, qui avait 14 ans et vivait en Allemagne, avait le droit de tricoter en classe, madame Dumayet faisait colorier ses élèves pour les aider à se concentrer, et peut-être aussi pour les visser à leur place.

— Oui, Mathis, qu'est-ce qu'il y a ?

— J'ai oublié mon coloriage chez mon père.

— Vous devez laisser vos feuilles de coloriage dans votre casier ! Combien de fois faudra-t-il le répéter ?

Trois mains se levèrent et, sans attendre la permission de parler, Jeanne, Océane et Nour dirent :

— Moi aussi, je l'ai oublié.

— Mais enfin, pourquoi vous emportez votre coloriage à la maison ? s'énerva la maîtresse.

Tous quatre en chœur :

— Pour le finir !

D'une chemise en carton, madame Dumayet sortit quatre nouvelles feuilles de coloriage tout en menaçant les désobéissants de ne plus leur en donner s'ils récidivaient.

— Ce sont les dinosaures dont je vous avais parlé, dit-elle en les distribuant.

— La chance ! les envia Paul.

Madame Dumayet soupçonna ses quatre élèves de s'être dépêchés de finir le bouquet de fleurs pour avoir droit à Petit-Pied, le diplodocus, et à Dents-Tranchantes, le tyrannosaure. C'était tout de même attendrissant qu'à l'ère de la Wii et de l'iPad des enfants puissent encore désirer un coloriage.

Il n'y a pire sourd que celui qui ne veut pas entendre, écrivit-elle au tableau. Dès qu'elle lut sa phrase à voix haute, elle la regretta. Elle avait pris cette année la responsabilité d'un double niveau CP-CM1. Or le proverbe était incompréhensible pour les plus petits.

— Qui sait ce que ça veut dire ? Oui, Jeannot ?

Un CP venait de lever la main.

— Mon papy, eh bien, mon papy… Mon papy, il a… Mon papy…

Jeannot avait toujours beaucoup de mal avec l'embrayage. Comme il avait une toute petite voix flûtée et une tête d'angelot, la maîtresse, souffrant avec lui, l'encouragea en articulant silencieusement : « Mon papy, il a... »

— Un appareil contre la sourdité, conclut Jeannot.

— *Sur*dité. Ça n'a aucun rapport, fit la maîtresse. Oui, Océane, tu sais ce que veut dire le proverbe ?

— Le pire, quand on est sourd, c'est qu'on n'entend pas.

Madame Dumayet, levant les yeux au ciel, demanda à ses élèves s'ils étaient vraiment bêtes ou s'ils faisaient seulement semblant. Elle les aimait pourtant beaucoup, mais dès la deuxième semaine de rentrée elle avait dû reprendre des anxiolytiques. Le métier devenait trop dur pour elle, ou elle était trop âgée. L'année précédente, certains parents d'élèves, dont le père d'Océane, s'étaient inquiétés de ce que la classe de madame Dumayet était « très agitée ».

Alors que les quinze CM1 recopiaient le proverbe, les CP dormaient les yeux ouverts ou bien s'échangeaient sous la table des images Pokémon. Il fallait d'urgence les mettre au travail. Madame Dumayet avait accepté ce double niveau parce que sa collègue, madame Bénifla, avait déjà vingt-neuf petits CP dans sa classe. Les dix supplémentaires avaient été déversés chez madame Dumayet, qui n'avait jamais eu, au cours de sa carrière, l'occasion d'apprendre à lire et à écrire à des enfants de 6 ans. Elle se sentait donc aussi démunie qu'une débutante, elle qui était à deux ans de la retraite. Tandis que le bruit montait dans sa classe, madame Dumayet jeta un coup d'œil à sa fiche pédagogique du jour. *Objectif de la séquence : acquisition du phonème « i » et de son graphème.* Les enfants devaient rechercher le son « i » soit à l'oral, soit à l'écrit. Or Jeannot savait déjà lire, mais sa petite voisine, Raja, arrivée d'Irak à la fin de l'été, ne parlait pas français. Comment madame Dumayet pouvait-elle les faire avancer du même pas, tandis que, dans les travées du CM1, Paul commençait ses pitreries et Océane ses bavardages ?

— Bon, les CP ! s'écria la maîtresse en tapant trois fois dans ses mains pour essayer de capter leur attention. On va faire les exercices 1, 2, 3 et 4 de la page 6. Il faut cocher la case où l'on entend le son « i ». C'est comme hier avec le son « a ».

Personne n'écoutait rien, et madame Dumayet sentit l'angoisse la gagner. En désespoir de cause, elle ajouta :

— Le premier ou la première qui aura terminé les exercices aura droit à un coloriage de dinosaures.

Il y eut alors dans la double rangée des CP un mouvement assez analogue à la ruée vers l'or aux États-Unis. Au mot « dinosaures », tous avaient plongé dans leur cartable ou leur casier à la recherche du cahier d'exercices et du crayon. L'instant d'après, certains avaient trouvé la page 6, Jeannot, le plus rapide, étant déjà en train de cocher. De l'autre côté de la classe, les CM1 les regardaient faire, scandalisés, ces mots terribles montant à leurs lèvres : C'EST PAS JUSTE ! Madame Dumayet se rendit compte que, non contente d'utiliser la plus ringarde des méthodes pédagogiques avec les CP, elle avait commis une faute morale envers les CM1. Mais il était encore en son pouvoir de la réparer.

— Bon, les CM, celui ou celle qui me termine ses opérations sans faire d'erreur aura aussi droit à un coloriage de dinosaures.

Madame Dumayet se crut soudain dotée d'un pouvoir magique, car même ce garnement de Paul – très doué en calcul par ailleurs – se jeta sur son cahier de brouillon. Seuls Jeanne, Océane, Nour et Mathis, ayant leur content de dinosaures, regardaient s'affairer leurs collègues en ricanant. Mais madame Dumayet trouva une parade machiavélique.

— J'en vois qui ne font rien et à qui je pourrais bien retirer leur feuille de coloriage.

Miracle! Une minute plus tard, le silence le plus absolu régnait dans la salle de classe. Une seule élève restait inoccupée, la petite Raja, crayon en main, immobile devant son cahier ouvert. La maîtresse s'approcha d'elle et, malgré un début d'arthrose, plia les genoux pour se trouver à hauteur des yeux de l'enfant.

— On cherche le son « i », lui dit-elle. Tu vois la lettre?

Elle désigna le « i » sur le cahier et répéta « iiii, iiii », en étirant les lèvres. Les yeux de Raja s'agrandirent. Iiii, comme maman qui criiie, criiie parce que l'oncle Hilal a été tué. Elle porta les mains à ses oreilles, terrorisée. Madame Dumayet se releva en s'appuyant à la table. Elle ne comprenait rien à cette petite. Un jour, elle essaierait de choper sa maman, madame Haddad, à la sortie des classes.

Le vendredi après-midi, les parents et les grands-parents étaient nombreux à attendre les enfants devant l'école Louis-Guilloux. Louise Rocheteau avait garé sa voiture comme elle avait pu sur un emplacement réservé aux handicapés, et tantôt elle tapotait sur le clavier de son Samsung, tantôt elle jetait des coups d'œil par la vitre, redoutant l'irruption de la police municipale. Elle attendait Paul et Lazare pour les conduire chez Sauveur. Alice aurait dû les rejoindre rue des Murlins, mais elle avait décidé de jouer à fond son rôle d'ado rebelle et illettrée. Ce qui donnait : **c pa kestion q j pass le we ché ton cop1 jené mar de vo istoir.** Au bout de trois échanges de ce niveau, Alice exprima sa résolution de rester seule chez elle pendant le week-end.

— N'importe quoi, marmonna sa mère en interrompant l'échange.

Elle venait d'apercevoir Paul et Lazare franchissant au coude à coude le porche de l'école. Elle klaxonna trois fois pour se signaler à eux, ajoutant une autre infraction à son actif.

— Vite, vite ! leur cria-t-elle par la vitre ouverte. Je suis mal garée !

Les deux garçons s'engouffrèrent à l'arrière de la vieille 406, jetant cartables et blousons à leurs pieds.

— Mais maman ! s'écria Paul. T'as pas pris Bidule ?

— C'est gentil de me demander de mes nouvelles.

Cela faisait une semaine que Louise n'avait pas vu son fils, et la première chose dont il s'enquérait, c'était de son hamster.

— Oui, mais Bidule, il va pas rester tout seul ? insista Paul.

— Pour l'instant, il est avec ta sœur.

Ce week-end chez Sauveur s'annonçait tumultueux. Il était peut-être encore temps d'y renoncer.

— On va passer rue de la Lionne, dit Louise en déboîtant.

Pour quelques jours encore, les Rocheteau vivaient dans leur ancienne maison, mais au milieu des cartons, car le déménagement se profilait. Dans un monde idéal, au cinéma par exemple, ou dans un des univers parallèles chers à Gabin, Louise et ses deux enfants se seraient installés chez les Saint-Yves, où ils auraient vécu heureux tous ensemble pour toujours. Dans la vraie vie, Louise, dont les ressources financières s'amenuisaient depuis son divorce, avait dû louer un F3 pour elle et ses enfants.

— Je suis très content que vous passiez le week-end à la maison, dit alors Lazare, qui pouvait à volonté imiter le ton apaisant de son papa.

La tension baissa d'un cran. Mais Louise ne tarda pas à penser que Sauveur avait bien élevé son fils tandis qu'elle-même était une catastrophe éducative. Elle avait beau être amoureuse de Sauveur, elle avait en permanence peur d'être jugée par monsieur Saint-Yves, psychologue clinicien. Elle s'efforçait donc de lui offrir une surface lisse et parfaite, celle d'une jolie, élégante et spirituelle journaliste à *La République du Centre*, assumant sa vie de femme divorcée. Jusqu'à ce jour, elle avait fait illusion. Le problème, c'était Alice.

Sauveur avait espéré finir sa journée de consultations à 18 heures pour accueillir Louise et les enfants. Mais Alex et Charlie s'étaient rajoutées à son planning à la dernière minute. Comme leurs prénoms ne l'indiquaient pas, Alex et Charlie était deux femmes.

— Bonsoir! Ça fait plaisir de vous revoir, les salua Sauveur. J'ai regardé sur mon agenda quand vous êtes venues pour la dernière fois. C'était en mai. Vous alliez vous marier.

Pendant trois mois, il n'avait été question que du mariage durant les séances. Comment les autres allaient-ils le prendre? Qu'est-ce que Saint-Yves en pensait? En tant que psychothérapeute? En tant qu'homme? Fallait-il s'attribuer un rôle, Alexandra en robe blanche, Charlie en costume-cravate? Et pourquoi, mais vraiment pourquoi les deux grandes filles d'Alex, Lucile, 17 ans, et Marion, 14, le vivaient-elles si mal? Est-ce que ce ne serait pas mignon si la petite dernière d'Alex, Élodie, 5 ans, était demoiselle d'honneur?

— On s'est pacsées au mois de juillet, dit brièvement Alex, comme pressée de tourner la page.

Il n'y avait pas eu de cérémonie. Un petit passage chez le notaire. Des papiers à signer. Et pas vraiment de fête, juste un repas au restaurant avec quelques copines.

— Le mariage n'apporte rien de plus, décréta Charlie.

— Même pour l'adoption, ça n'augmente pas les chances des couples gays, renchérit Alex.

Charlie posa la main sur le bras de sa compagne comme pour la dissuader d'aller plus loin.

— Il ne s'agit pas d'adopter.

Charlie, autrement dit Charlotte, était sa cadette d'une quinzaine d'années. Elle cultivait le look bad boy, piercings, tatouages, santiags, tandis qu'Alexandra, un peu trop maquillée, épilée et bronzée, était une publicité pour son cabinet d'esthéticienne.

Après le mariage qu'elle avait réclamé, presque exigé, avant d'y renoncer sans beaucoup d'explications, Charlie à présent réclamait, exigeait un enfant.

— Vous en pensez quoi, vous, de l'homoparentalité ? demanda-t-elle à Sauveur, avec l'air de s'attendre à quelque énormité bien-pensante.

— Elle existe.

— C'est-à-dire ?

— C'est-à-dire qu'il y a des parents homosexuels, qu'il y a toujours eu des parents homosexuels. Ce n'est pas une grande nouveauté.

— Oui, mais ils ont dû se marier pour avoir des enfants et cacher leur homosexualité, riposta Charlie.

Sauveur fit un geste en direction d'Alexandra. Elle ne s'était pas mariée, elle n'avait rien caché, elle avait trois enfants et, vivant en couple avec une femme, elle pouvait être considérée comme un parent homosexuel.

— Alex, c'est particulier, bougonna Charlie. Mais moi, par exemple, la société française me refuse le droit à l'IAD.

Sauveur acquiesça : la législation française réservait en effet l'insémination artificielle avec donneur aux couples hétérosexuels. Les deux jeunes femmes évoquèrent alors la possibilité d'aller en Belgique ou en Espagne, où la législation était différente. Mais ça coûtait cher, les voyages, le séjour, les frais d'hospitalisation, et les échecs à prévoir. La parole rebondissait de l'une à l'autre, et Sauveur eut l'impression de revivre les séances où il n'avait été question que du mariage. Les obstacles, les préjugés, le qu'en-dira-t-on, la société. Et pourquoi, mais vraiment pourquoi les deux grandes filles d'Alexandra le prenaient-elles si mal ? Et ne serait-ce pas mignon si Élodie avait une petite sœur ou un petit frère ? Puis Charlie voulut à tout prix l'avis du psy.

— Vous n'avez pas l'air convaincu, ça se lit sur votre figure. Vous pensez que ça sera mauvais pour l'enfant d'avoir deux mamans, c'est ça ? Il ne pourra pas faire son complexe d'Œdipe ?

— On manque de recul pour en juger, lui répondit-il, mais il semblerait que les enfants ayant deux parents du même sexe n'ont pas plus de problèmes que les autres. Pas moins non plus, d'ailleurs.

Il voulait faire cesser ce petit jeu de provocation vis-à-vis de lui, qui empêchait les deux jeunes femmes de se poser les bonnes questions.

– Avez-vous décidé qui porterait cet enfant? leur demanda-t-il.

Alexandra ouvrit la bouche, mais Charlie fut plus rapide :

– Alex. Je veux un enfant d'Alex. Le problème, c'est de trouver un géniteur. Enfin, un donneur. On a regardé sur un site spécialisé, mais le risque, c'est de tomber sur un dingue ou un pervers. Ou sur quelqu'un qui voudra reconnaître l'enfant et avoir des droits. Et ça, il n'en est pas question.

Sauveur se demanda quelle allait être l'étape suivante. Oh, je sais, songea-t-il, elle va me demander d'être le donneur.

– L'inconvénient avec l'insémination en clinique, poursuivit Charlotte, c'est que les médecins sont normatifs, eux aussi. Si on est blonde aux yeux bleus, ils cherchent un donneur de type nordique. Moi, je m'en fous de ça. Si c'est un donneur qui est très éloigné de notre type physique, à Alex et moi, s'il est... Pourquoi vous riez?

– Non, non, je ne ris pas.

Au fur et à mesure de la séance, Alexandra était devenue silencieuse. Cette jeune femme est triste, se disait Sauveur tout en écoutant sa compagne. Ou anxieuse. Il cherchait ce qui se dégageait d'elle. Le mot juste.

– Vous avez l'air... perdue, Alexandra.

Elle leva vers lui des yeux brouillés de larmes. Tout était allé si vite dans sa vie. Dans une embardée amoureuse, comme on donnerait un coup de volant, elle avait quitté la voie toute tracée de femme et de mère et elle était partie dans le décor.

— Par moments, dit-elle, j'ai l'impression que je suis dans un rêve, que je vais me réveiller. Je vais retrouver ma vie d'avant. Je n'étais pas heureuse, mais… c'était moins compliqué.

Sauveur crut que Charlie allait se mettre en colère, qu'elle ferait une scène de jalousie sur le thème : «Ah bon, tu regrettes Nicolas ?» Mais non, elle resta muette.

— Peut-être avez-vous besoin de mûrir encore un peu votre projet d'enfant ? dit-il, l'air de ne pas y toucher. C'est comme pour le mariage…

— Oh, c'est bon, votre petit ton ironique, dit soudain Charlie, la voix meurtrie. Il n'y a pas eu de mariage, et il n'y aura pas d'enfant, c'est ça, le sous-entendu ? Comme je n'ai pas de travail, ça fait un tout. Et ça s'appelle une vie ratée.

— Je suis désolé si c'est ce que vous avez entendu.

Il eut peur d'avoir rompu avec elles l'alliance thérapeutique, mais Alexandra lui demanda un rendez-vous pour le vendredi suivant. Au moment de les quitter, il tendit la main vers Charlie, qui lui tourna le dos tandis qu'Alexandra faisait une petite mimique pour qu'il excuse son amie.

— Ouch, souffla-t-il quand elles eurent passé la porte. Je crois que j'ai merdé !

D'une façon générale, ce vendredi n'avait pas été

brillant. Il avait eu l'esprit trop occupé par sa propre VP. La question qu'il avait posée à Charlie valait d'abord pour lui. Peut-être avait-il besoin de mûrir son projet de famille recomposée ?

— Je le sens pas, ce week-end, fit-il entre ses dents.

Il n'avait même pas envie de passer la porte-frontière entre ses deux vies. Il s'accroupit devant la cage de madame Gustavia, qui mangeait peu depuis quatre jours. Sauveur hésitait sur les causes de cette perte d'appétit : soit le stress de sa rencontre avec Sauvé, soit la rondelle de saucisse Herta. Il tapota la grille dans l'espoir de réveiller le petit hamster qui roupillait devant sa maison. Madame Gustavia eut un frémissement de moustache.

— Tu veux qu'on te foute la paix, hein ? lui dit-il, tout en songeant qu'il devrait arrêter de se projeter dans les autres, qu'ils aient deux ou quatre pattes.

Attrapant la cage par la poignée, il quitta son cabinet de consultation, remonta le couloir, et entra d'un pas décidé dans la cuisine, où il pensait retrouver Louise et les enfants. Mais la cuisine était déserte, tout comme la véranda.

— Louise ? appela-t-il. Lazare ?

Il grimpa lestement à l'étage, ouvrit la porte de son bureau.

— Lou… Gabin ?

Le garçon était sur le canapé, son ordinateur portable sur les genoux.

— Tu n'es pas rentré chez toi ? s'étonna Sauveur, qui

avait encore la naïveté de croire qu'un ado faisait ce qu'on lui demandait.

— Ils sont arrivés, les autres ? dit Gabin de sa voix la plus apathique.

Déboussolé, Sauveur regarda autour de lui et, apercevant son vieux Nokia posé sans grande précaution sur le bord de son bureau, alla vérifier ses messages. Mais Louise n'avait pas appelé.

— Où est-ce qu'ils sont passés ? s'interrogea-t-il à voix haute. Ils doivent traîner rue de la Lionne...

— ... ou ils ont été aspirés dans un univers parallèle, suggéra Gabin sans quitter des yeux son écran.

Sauveur eut envie de lui jeter son téléphone à la tête, mais il en avait besoin pour joindre Louise.

— Ah, j'allais t'appeler ! fit la voix de l'autre côté.

La brève montée d'angoisse descendit aussitôt, faisant place à de l'agacement.

— Mais qu'est-ce que vous fabriquez ?

Louise se lança dans une explication emberlificotée, d'où il ressortait qu'Alice ne voulait plus venir chez les Saint-Yves. Mais sa mère ne voulait pas davantage la laisser toute seule pour le week-end. Donc, elle avait essayé de joindre son ex, Jérôme, pour négocier le retour d'Alice chez lui. Mais elle était tombée sur le répondeur de son portable.

— Pour ce soir, conclut Louise, le plus simple, c'est que tout le monde dorme rue de la Lionne.

— Tout le monde ? répéta Sauveur, interloqué.

— Je veux dire, moi et les enfants. Demain, je viendrai chez toi avec les garçons et Alice ira chez son père.

Louise était à deux doigts de craquer.

— Essaie de passer une bonne soirée, la réconforta Sauveur, car il avait perçu la tension dans le fil de sa voix. Est-ce que je peux dire un mot à mon fils ?

Il entendit l'appel de Louise : « Lazare, Lazare ! », qui résonnait étrangement dans cette maison à demi vidée de ses meubles, et son cœur se serra. Il avait envie d'avoir son fils là, tout de suite, devant lui. Sa petite tête bouclée. Ses grands yeux gris clair.

— Papa ? fit une voix essoufflée. Oh, c'est trooop bien ! Bidule, il a peur de rien. De rien ! On peut le prendre dans les mains, le mettre dans sa poche. Il ne mord pas. C'est Paul qui l'a dressé !

— Super, fit son père. Et dis-moi, tu n'as pas de brosse à dents pour ce soir ?

— Non mais ça va. Et Bidule…

Il ne fut plus question que des exploits du hamster, puis Lazare planta son père sur un simple « Salut ! Y a Paul qui m'appelle ! ». Sauveur fit entendre le petit tchip aspiré par lequel, en bon Antillais, il exprimait parfois son mécontentement.

— McDo ? proposa Gabin de son ton détaché.

Sauveur restait au milieu de la pièce, un peu stone, le portable serré dans son poing droit, essayant de trouver un angle comique à sa situation. Il avait redouté une soirée agitée «en famille» et il se retrouvait avec Gabin, qui n'était pas censé être là et se payait sa tête en fredonnant : « *C'est si doux, le rendez-vous, hou, hou, Châteauneuf, Gigondas, c'est si bon quand on s'embrasse...* »

Une fois attablé devant son hamburger, Sauveur chercha comment rompre le silence. Gabin était de l'espèce taciturne, et en dehors de quelques vannes on n'en tirait pas grand-chose. Malheureusement, Sauveur retombait toujours sur les deux mêmes sujets de conversation.

– Ta mère, commença-t-il.

Il vit le dos de Gabin qui s'arrondissait tandis qu'il mordait dans son Big Mac.

– Elle a accepté de reprendre son traitement, poursuivit Sauveur tout en se demandant si c'était une bonne idée d'en parler. Je pense qu'en fin de semaine prochaine tu pourras lui rendre visite.

– Cool.

Se sentant dans une impasse, Sauveur tenta l'autre sujet de conversation.

– Tu as du travail pour lundi ? En français ?... Tu devrais au moins travailler le français... Pour le bac... Non ?

– C'est quoi, cette persécution ? ronchonna Gabin.

De retour à la maison, Sauveur alla dans son cabinet de consultation prendre son livre psy du moment pour le lire au lit. *Prozac Nation : avoir 20 ans dans la dépression.* Comme il remontait à l'étage des chambres, il aperçut Gabin qui l'attendait sur le palier.

– Un problème ?

Gabin toqua à une porte qui était toujours fermée à clé.

— Y a quoi là?

— C'est l'escalier qui conduit au grenier.

— On peut y aller?

— Aller au grenier? fit Sauveur qui, même dans les échanges quotidiens, usait de reformulation plutôt que de répondre aux questions.

— Je sens l'Aventure, chuchota Gabin, le ton mystérieux et l'index pointé vers le ciel.

Sauveur, qui avait étudié la caractérologie durant ses études, croyait être un «secondaire», c'est-à-dire quelqu'un qui médite sur le passé, anticipe l'avenir et réfléchit au présent. En réalité, il y avait en lui quelque chose d'impulsif. Sans discuter davantage, il alla donc chercher dans un tiroir la clé du grenier. Elle était lourde, rouillée, de facture grossière, mystérieuse en effet. Il la tourna dans la serrure, mais dut donner une poussée de l'épaule pour que la porte consente à s'ouvrir.

— Je suis venu là une fois, commenta-t-il en cherchant l'interrupteur. Quand j'ai visité la maison avec le type de l'agence immobilière.

Par chance, l'ampoule, qui pendait à un fil nu, fonctionnait encore.

— Tu fais attention, dit-il en s'aventurant dans l'escalier. Il y a des marches en mauvais état.

— À mon avis, dit Gabin, qui venait d'éviter de justesse un trou dans une latte, on ne va pas en sortir vivants.

Le plafond était bas dans l'escalier en colimaçon, mais une fois parvenu au grenier, Sauveur put déplier son mètre quatre-vingt-dix. C'était un vaste espace au toit cathédrale. Les locataires précédents y avaient déversé ce bric-à-brac d'objets détériorés dont on ne parvient pas à se séparer, un vélo d'appartement sans pédalier, des étagères Ikea auxquelles manquaient des planches et des vis, un lit d'enfant au sommier défoncé, un magnifique téléviseur des années 1960, un confortable fauteuil club, hélas sur trois pieds, etc.

— C'est sans intérêt, dit Sauveur, pressé de repartir, car la poussière lui grattait la gorge.

— Je peux juste vous demander un truc ? Si je m'installais là ?

— T'installer là ?

— Genre ça serait ma chambre.

Sauveur cligna des yeux, non parce qu'il donnait son consentement, mais parce qu'il était allergique à la poussière.

— On en discute à l'extérieur.

— Oui mais sur le principe ?

— En fait, réalisa soudain Sauveur, tu m'as amené ici dans un but précis. C'était prémédité. Donc, contrairement aux apparences, ça t'arrive de penser.

— Damned, je me suis trahi... Alors, c'est oui ?

Sauveur secoua la tête en soupirant, ce que Gabin interpréta – à juste titre – comme un acquiescement. Cool.

Le lendemain, samedi, Gabin se leva aux petites heures du matin. Tout étant relatif, il était quand même 11 heures et quart. Ayant conservé la clé du grenier, il y retourna et chercha l'emplacement idéal pour sa chambre à coucher. Il tira un vieux matelas, certainement grouillant d'acariens, sous l'unique lucarne. Des couvertures moisies, qui avaient recouvert de la vaisselle ébréchée, reprirent du service en tant que literie. Une étagère Ikea basculée sur le flanc fournit l'indispensable table de nuit. Enfin, dans un coin du grenier où un locataire bricoleur avait entassé le surplus de ses trésors, Gabin découvrit une immense rallonge électrique, qu'il brancha à l'unique prise en fonctionnement au bas de l'escalier. Il déroula le fil tout le long du colimaçon jusqu'à sa chambre à coucher et put recharger son portable. Les envahisseurs pouvaient débarquer. La survie de Victor, l'enfant sauvage de l'Aveyron, était assurée.

*
* *

Rue de la Lionne, Lazare et Paul avaient fait preuve de tant de gentillesse, d'humour, et d'une vision générale de l'existence, à base de hamsters, tellement enthousiaste que Louise avait passé une très bonne soirée… ou aurait passé une très bonne soirée, n'était la tête d'enterrement d'Alice. Le front baissé, des cheveux dans les yeux, le poing sur la bouche pour s'interdire toute tentation de communiquer.

Le lendemain, Louise s'était vue dans l'obligation de demander un service à son ex-conjoint. Jérôme avait d'abord répété en boucle au téléphone : « C'est ton tour, c'est ta semaine... C'est ta semaine, c'est ton tour... » jusqu'à ce que Pimprenelle intervienne :

— Moi, ça me dérange pas qu'Alice vienne pour le week-end.

Louise avait été secourue par celle qui lui avait soufflé son mari, ce qui avait achevé de la démoraliser.

— Ça ne t'ennuie vraiment pas ? fit Jérôme après le coup de fil, surpris de l'attitude conciliante de sa jeune femme.

— Si ton ex a envie de s'envoyer en l'air avec son psy, on va pas l'empêcher.

Jérôme regretta d'avoir parlé de Saint-Yves à Pimprenelle. Il l'avait croisé un jour rue de la Lionne, et il avait compris que c'était le boyfriend de son ex-femme. C'était Jérôme qui avait quitté Louise, mais il n'avait jamais envisagé qu'elle referait un jour sa vie sans lui. Sans se l'avouer, il était jaloux.

Quand Alice arriva chez son père au milieu de la matinée, celui-ci était déjà sorti promener Achille dans sa poussette. C'est donc à Pimprenelle qu'Alice demanda l'autorisation d'utiliser l'ordinateur du salon. Trois mois plus tôt, Alice avait découvert les vidéos des « youtubeuses beauté » et elle s'en gavait. Elle cherchait inlassablement la recette, le secret, la formule magique qui lui permettrait de ne plus avoir ces boutons sur le front et autour de la bouche, qu'elle cachait derrière un rideau de cheveux ou masquait de la main. C'était un tourment de tous les instants, mais elle n'en parlait à personne. Quand elle était seule dans sa chambre, le soir ou même la nuit, elle suivait les conseils qu'elle avait récoltés sur Internet. Elle avait testé l'argile verte, qui lui avait laissé des plaques d'allergie pendant une semaine, le masque au sel marin, qui lui avait boursouflé les paupières au point qu'elle pouvait à peine ouvrir les yeux le lendemain, puis le gommage au sucre fait maison, le tire-comédon, le yaourt, la tomate, la banane, le peroxyde de benzoyle, l'Hexomédine transcutanée. Et les boutons poussaient, fleurissaient, s'épanouissaient, se multipliaient. Alice devenait de plus en plus maussade, quasi désespérée.

Cet après-midi-là, elle cliqua sur **Mon combat contre l'acné**. 622 891 vues.

— Bonjour tout le monde, bienvenue sur mon vlog, alors, aujourd'hui, je vous parle d'un truc qui vous empoisonne la vie à toutes… et à tous parce que c'est aussi pour les garçons, fit une jeune fille sur l'écran. Je veux parler… heu… des boutons. Là, bon, moi, heu, ça va, parce que je me soigne et j'ai mis du fond de teint. Mais il faut que vous sachiez que j'ai vraiment, mais alors vraiment, connu la galère avec l'acné.

Alice écarquilla les yeux. La jeune fille avait une peau parfaitement lisse, et comme le disaient ses fans dans les commentaires, elle était trooop belle ♥♥♥ et on voulait toutes lui ressembler ☺☺☺!!!

— Pour avoir une peau tip top, poursuivit la youtubeuse, il faut vraiment, mais alors vraiment, bien bien se nettoyer la figure le soir à l'eau chaude en faisant des petits massages, heu, circulaires, là, je vous montre pas parce que j'ai mon fond de teint et ça va être le massacre...

La demoiselle parla encore pendant cinq minutes pour ne rien dire, mais Alice, le crayon à portée de main, attendait la révélation du jour, car en dépit de sa dizaine d'expériences malheureuses, elle avait toujours la foi. Quand la youtubeuse beauté présenta à la caméra, d'ailleurs très mal réglée, différents produits «spécial acné», Alice nota à l'arrache : Juvental, Clearance, Exfoliol. Tout son argent de poche allait y passer.

— Ah, toi aussi, tu regardes EnjoyYourself, fit une voix derrière elle. Comment ça m'a trop choquée qu'elle casse avec Idris ! Ils allaient vraiment bien ensemble, tu trouves pas ?

C'était Pimprenelle, celle qu'Alice appelait tantôt «ma moche-mère», tantôt «cette grosse conne». Sans rien répondre, elle arrêta la vidéo.

— Tu regardais son post sur l'acné ? reprit Pimprenelle sans se décourager. Moi, j'ai un truc super contre les boutons.

«Truc super contre les boutons» était le sésame pour ouvrir le cœur d'Alice. Elle se tourna vers Pimprenelle.

— C'est quoi ?

— Du dentifrice.

Alice haussa les épaules.

— Je te jure! insista Pimprenelle. Moi, quand j'ai mes règles, à tous les coups, j'ai deux gros boutons qui sortent, mais avec du pus, tu vois? On les sent sous la peau avant qu'ils sortent, c'est rouge, ça fait bien mal. Alors, là, tout de suite, je mets du dentifrice pour les dessécher.

— Comme avec l'Hexomédine? fit Alice, le ton passionné.

— L'Hexomédine, j'ai essayé, ça pue l'alcool, que là, le dentifrice, ça sent la menthe, et ça marche plus mieux...

Elle se mit à rire comme une gamine.

— «Plus mieux»... Comment je cause trop bien!

D'ordinaire, l'immaturité de Pimprenelle horripilait Alice, qui ne comprenait pas que son père se soit entiché d'elle. Mais soudain elle découvrait une copine, une complice, quelqu'un à qui elle allait pouvoir parler de ses problèmes de boutons sans se taper la honte. Bien que l'une ait le double d'âge de l'autre, elles avaient les mêmes soucis, elles regardaient les mêmes vidéos, elles utilisaient les mêmes expressions. Sans y prendre garde, Alice en vint à lui parler de sa mère et se plaignit de ce qu'il n'y en avait que pour Paul à la maison. Paul envahissait tout le terrain, avec son copain Lazare et leurs histoires de hamsters!

— Lazare, l'interrompit Pimprenelle, c'est le fils du boyfriend de...?

Alice fit un simple signe de tête. Quelque chose en elle résistait à la confidence. Ou à la trahison.

— Tu le trouves comment, le copain de ta mère? lui demanda Pimprenelle, les yeux luisants.

— Tu sais qu'il est black ? laissa échapper Alice.

— Ton père m'a dit. C'est un beau mec… Il paraît ?

— Je sais pas. Peut-être. De toute façon, je le connais pas vraiment. On est allés au bowling avec lui une fois. Et puis aussi un dimanche au Courtepaille pour les 38 ans de maman.

Alice porta la main à sa bouche et sentit sous ses doigts un gros bouton.

— Ne le fais pas péter, lui conseilla Pimprenelle. Après, ça fait une cicatrice.

Puis elle la relança sur Saint-Yves.

— Comment c'est chez lui ? Tu auras ta chambre comme ici ?

— Mais j'irai pas chez lui ! se révolta Alice.

Dormir chez Saint-Yves, dormir chez cet homme qui dormait avec sa mère ? Jamais.

— Je te comprends, dit Pimprenelle. À l'âge qu'elle a, ta mère devrait se calmer.

Sans se douter de l'alliance qui se nouait dans son dos, Louise, en dépit de son grand âge, se préparait à rejoindre son amoureux et veillait même aux finitions, les boucles d'oreilles assorties au bracelet, la petite touche parfumée et, dans sa valise rose fuchsia, une tenue de rechange tout aussi raffinée.

— Les garçons, vous êtes prêts ? On y va !

Tous trois entrèrent chez les Saint-Yves en passant par le jardin de la venelle. Les herbes folles y poussaient, les feuilles mortes s'entassaient au pied des arbres, mais des rosiers non tuteurés, jaunes et pourpres, jetaient des notes de couleur éclatantes dans ce décor au charmant négligé. Sauveur était à peu près dans le même état de charmant négligé, pas rasé, en jean et pull troué.

– Ouch, fit-il à la vue de Louise endimanchée. Je ne te mérite pas !

Il s'apprêtait à l'embrasser quand il entendit derrière lui :

– Hou, hou, la belle petite femme skons ! Elle est si timide, elle sent qu'elle ne pourra pas me résister long-temps !

Sauveur pivota sur ses talons, et raflant sur la table de la cuisine ce qui s'y trouvait, à savoir les noisettes du jardin, il en bombarda Pépé le putois. Gabin déguerpit, entraînant Paul et Lazare à sa suite.

– Je sais ce que tu vas dire, anticipa Sauveur, faisant face à Louise. Mais Gabin ne fait pas ce qu'il veut chez moi. Il ne dormira pas dans le canapé-lit. Il s'est installé au grenier.

– Je vois, fit-elle, un peu narquoise.

– Tu vois quoi ?

– Quoi, « quoi ? »

À l'étage, Paul, Lazare et Gabin venaient de réunir les trois cages. Les trois hamsters, madame Gustavia, Bidule et Sauvé ensemble pour le week-end. Du jamais-vu sur Terre. Une extraordinaire conjonction astrale, dont il fallait profiter sans tarder. Madame Gustavia, qui avait ins-piré quelque crainte à Sauveur, avait retrouvé la forme. Elle s'était même beaucoup agitée pendant la nuit.

— Elle va être contente de revoir son fils, prédit Paul.

— Heu... pas sûr, le tempéra Lazare.

Gabin, que les sentiments filiaux de Paul ravissaient, abonda dans son sens. Il semblait avoir oublié que Sauvé avait frôlé l'infarctus. Il ouvrit donc la porte des deux cages, qu'il accola pour que les deux hamsters passent de l'une à l'autre. En réalité, madame Gustavia et Bidule roupillaient, et les garçons, tambourinant sur les barreaux, n'obtinrent rien d'autre que de légers tressaillements d'impatience.

Cherchant un autre divertissement, ils allèrent visiter ce qui était déjà baptisé « le grenier de Gabin ».

— Des fois, on viendra te voir et on dormira là, fit Lazare d'un ton d'envie.

Gabin avait de grands projets.

— Je vais me mettre de la musique et réparer le fauteuil.

— Il faut peut-être aller voir si les hamsters sont réveillés ? s'inquiéta soudain Paul.

En effet, ils étaient réveillés. Madame Gustavia était dans la cage de son cher fils, pas du tout dans une posture combative. Bien au contraire, elle se tenait immobile, le derrière relevé, la queue dressée, tandis que Bidule tournait autour en la reniflant.

— Ils veulent jouer ? s'alarma Paul.

Soudain, Bidule passa à l'attaque et monta sur le dos de madame Gustavia.

— Oh là, on se calme ! dit Gabin, rigolant à moitié.

— Ils font l'amour! s'écria Lazare, comme si c'était vraiment la dernière chose à laquelle il fallait s'attendre.

— Mais c'est son fils! protesta Paul en reculant d'horreur.

Tous deux dévalèrent l'escalier en criant :

— Papa! Maman!

Sauveur les reçut dans ses bras.

— Qu'est-ce qu'il y a? Qu'est-ce qui vous arrive encore?

— Papa, dit Lazare, les hamsters, ils font l'amour.

— Mais c'est son fils, répéta Paul, et planté devant sa maman, il se boucha la vue avec les mains.

Semaine du 14 au 20 septembre 2015

Sauveur était curieux de faire la connaissance de la patiente antillaise que lui adressait le docteur Dubois-Guérin. Elle avait pris rendez-vous pour le lundi matin 7 h 30, ce qui obligea Sauveur à tomber de son lit à 6 h 30.

– Madame Germaine ?

Une belle femme noire, très largement pourvue en fesses et en seins, se tenait debout au milieu de la salle d'attente. Elle fit un large sourire à Sauveur.

– C'est Germain. Gervaise Germain.

– Sauveur Saint-Yves, se présenta-t-il en tendant la main.

Mais la femme, qui devait avoir une quarantaine d'années et pas loin de 80 kg, ignora cette main tendue et passa de la salle d'attente au cabinet de consultation tout en disant d'une seule traite et d'une voix sonore :

– Le docteur Guérin m'a dit que vous vous y connaissez un peu, c'est pour ça que je viens vous voir, mais ça dépend d'où vous êtes parce qu'à la Martinique il y en a qui savent et puis il y en a qui savent rien du tout. Moi, je suis du François, et vous ?

— De Sainte-Anne, madame Gervaise.

— Germain. Gervaise, c'est le prénom, monsieur Sauveur.

— Oui, excusez-moi. Sauveur, c'est aussi le prénom. Asseyez-vous.

C'est à ce moment-là que Sauveur remarqua une chose insolite. La femme portait des gants, de petits gants blancs comme on en mettait aux fillettes d'antan. Elle regardait fixement le canapé sans paraître décidée à s'y installer. Peut-être craignait-elle d'avoir quelques difficultés à s'en extirper, car il était assez moelleux.

— Prenez une chaise, lui suggéra Sauveur.

Il y en avait deux, qu'elle examina sans les toucher. Sauveur se demanda s'il fallait l'assurer qu'elles étaient solides, mais il craignit cette allusion trop directe à son surpoids. Enfin, la femme ouvrit son volumineux sac à main et en sortit une sorte de grand napperon, dont elle recouvrit l'assise d'une chaise, puis elle y déposa son postérieur sans s'appuyer au dossier.

— J'ai mes petites habitudes, dit-elle avec un rire, comme s'il n'y avait rien là d'extraordinaire. Alors, comme ça, tu es de Sainte-Anne ?

Le tutoiement lui était venu naturellement. Entre Antillais.

— Tu dois connaître Manman Beaubois ?

Ayant été élevé par un couple de Blancs, monsieur et madame Saint-Yves, restaurateurs à Sainte-Anne, Sauveur n'aurait pas dû connaître personnellement Manman

Beaubois, célèbre quimboiseuse de l'endroit. Mais il se trouvait que sa famille d'origine lui était vaguement liée. Il fit donc un signe de tête sans avouer qu'il l'avait rencontrée quelques mois plus tôt lors d'un passage à la Martinique*.

– Elle a bien 100 ans, dit-il pour montrer tout de même qu'il savait de qui il parlait. Si elle vit encore…

– Oh, Manman Beaubois elle meurt pas, lui répliqua madame Germain en roulant des yeux. Son esprit il va passer dans le *chouval twa pat* et la nuit on la verra qui sort au galop de la forêt pour t'emporter, et si tu la croises, mon frère, tu feras bien de la frapper à la tête avec une branche de cerisier-pays.

– Malheureusement, on n'en a pas toujours sous la main, dit Sauveur, car madame Germain semblait attendre un commentaire. Est-ce que vos ennuis actuels ont un lien avec Manman Beaubois ?

– Je dis pas oui, je dis pas non. Mais je crois surtout que c'est mon beau-frère.

– Votre beau-frère ?

– Le mari à ma sœur aînée. C'est lui qui…

Elle hocha la tête.

– Lui qui… ? insista Sauveur, qui n'ignorait pas qu'on évite de prononcer certains mots comme quimbois ou quimboiseur.

* Voir *Sauveur & Fils, saison 1.*

— Mais tu sais bien, lui reprocha madame Germain.

Donc, elle soupçonnait son beau-frère d'être le quimboiseur. Dubois-Guérin avait vu juste. Dans un système médical classique, madame Germain aurait été diagnostiquée non pas « envoûtée », mais « paranoïaque ». Il pouvait être dangereux d'entrer dans son petit délire. Ce fut pourtant le choix de Sauveur.

— Qu'est-ce qu'il vous a fait, votre beau-frère ? demanda-t-il en baissant la voix.

Madame Germain eut une lueur de triomphe dans les yeux. Enfin, on allait l'écouter.

— D'abord, dit-elle, tu as bien remarqué que je fais attention ?

— Attention à quoi, madame Gervais ?

— Germain.

Germaine, Germain, Gervaise, Gervais... Il pataugeait ce matin.

— Je fais attention à pas toucher ce qui est sale avec les mains.

— Ah ouiii ! s'écria Sauveur, tout s'éclairant soudain.

Les gants, le napperon, le refus de contact.

— Même au lit, je fais attention, reprit-elle. Je me lave les pieds dans la cuvette juste avant de les mettre dans les draps.

Elle paraissait décrire une habitude d'hygiène commune à tous les gens raisonnables.

— Alors, comment tu expliques que je suis quand même malade ?

Sauveur esquiva la question en posant à son tour une question.

— Quel genre de maladies ?

— Mais toutes ! J'ai eu la bronchite tout l'hiver, et le mal dans le ventre, et les douleurs dans la jambe, et des coups d'épée dans les reins, tu demanderas à ma fille, je pouvais plus marcher !

Madame Germain présentait un écheveau bien difficile à démêler de phobie des microbes et de superstitions antillaises. Sauveur avait eu parmi ses patients une petite fille de 8 ans atteinte de terribles tocs de propreté. La petite Perrine se lavait les mains si souvent qu'elles étaient à vif. Cent fois par jour, elle soufflait en l'air par la bouche pour recracher les microbes qu'elle avait respirés. Elle ne pouvait toucher les poignées de porte qu'avec un mouchoir, car elle imaginait que des centaines de gens y avaient déposé leurs germes. Elle ne s'asseyait jamais sur la lunette des WC. Elle ne pouvait pas enfiler elle-même ses chaussures parce qu'elles avaient été en contact « avec les cacas des chiens ». Sa vie était devenue un enfer.

— Vous avez d'autres petits rituels que la cuvette et le napperon ? questionna Sauveur.

Il lut la plus grande stupeur dans les yeux de sa patiente. « Rituels » ne pouvait signifier pour elle que rituels magiques.

— Je veux dire, rectifia Sauveur, est-ce que vous avez d'autres habitudes de propreté ?

— Oh oui, beaucoup ! fit-elle d'un ton satisfait. Je nettoie bien mes clés et mon portable avec des lingettes...

— Mm, mm, l'encouragea Sauveur.

— Je vais que dans les magasins où les portes sont automatiques, comme ça, je touche à rien avec les mains, et quand je reviens des courses, je nettoie les boîtes de conserve et je brosse bien les œufs parce que ça sort du... chose des poules. Je congèle le pain, parce que le froid, ça tue les germes, et puis je mange plus de Big Mac, et pourtant j'aime ça !

— Pourquoi vous n'en mangez plus ?

— Mais c'était dans le journal : il y a du caca dans tous les hamburgers ! Et ça, c'est parce que les gens se lavent pas les mains quand ils vont au petit coin.

Sauveur ferma les yeux un instant. C'était une conversation un peu difficile à 8 heures du matin. Il tenta d'expliquer à madame Ger... vvmm que l'on avait identifié des entérocoques dans la plupart des hamburgers analysés, ce qui impliquait une contamination fécale due aux animaux et non aux humains.

— Du caca de vache dans les hamburgers ! s'exclama madame Germain.

Sauveur se sentit gagné par une certaine mélancolie, peut-être même une envie de vomir. Mais il se ressaisit.

— Quand j'étais petit garçon et que je faisais tomber par terre ma cuillère ou mon bout de pain, ma nounou les ramassait et elle me les rendait en disant : « *Manjé micwob.* » Et elle avait raison. C'est dangereux de vivre dans un univers aseptisé parce que l'organisme ne sait plus se défendre contre les agressions.

— Mais moi, protesta madame Germain, je connais l'agresseur, c'est mon beau...

— On va séparer les deux problèmes, dit Sauveur plus pour lui-même que pour sa patiente. D'un côté, votre hygiénisme, de l'autre, le quimbois, d'accord ? Est-ce que ça ne vous complique pas un peu la vie, vos habitudes de propreté ?

— J'ai plus de vie du tout, constata madame Germain, comme si la chose ne souffrait même pas de contestation. Je t'explique pour la douche...

Madame Germain devait ouvrir le robinet avec le coude, puis se passer les mains sous l'eau, mais en commençant par l'avant-bras pour faire « descendre la saleté » du coude vers les doigts. Ensuite c'était le savonnage, d'abord le bras gauche, puis le bras droit, toujours dans cet ordre-là. Et une fois que les mains et les bras étaient bien lavés, Gervaise pouvait savonner le robinet et la pomme de douche avant de se relaver les mains et les avant-bras. Venait le lavage des épaules et encore des bras du haut vers le bas, d'abord à gauche, puis à droite, avant de passer au lessivage de la partie carrelée de la douche, etc.

— Une heure et demie que ça me prend pour me laver ! s'exclama-t-elle sur le ton de quelqu'un qui souhaite déposer une réclamation.

— Et croyez-vous que tout le monde vive comme vous ?

— Non mais…

— Et croyez-vous que les gens soient plus malades que vous ?

— Non, mais mon beau-frère…

— On sépare, on sépare les deux problèmes ! se récria Sauveur avec le sentiment qu'il n'y arriverait jamais.

Il réussit tout de même à ébaucher un protocole de soins en demandant à madame Germain de faire pour le lundi suivant la liste de ses tocs, qu'il appelait toujours des « habitudes de propreté », et d'évaluer le temps qu'elle y consacrait chaque jour.

— Et pour mon beau-frère ?

— Il ne perd rien pour attendre, la rassura Sauveur en la raccompagnant.

Une fois de retour dans son cabinet, Sauveur laissa aller son esprit à la dérive. Il songea que sa patiente avait employé un mot un peu sophistiqué, celui de « germe », à la place de microbe ou de virus. Et qu'elle ne voulait pas toucher ce qui est sale avec les mains.

— Germe… main, marmonna-t-il. Germain… Madame Germain.

Ce n'était peut-être pas la trouvaille psychanalytique du siècle, mais c'était un bon moyen mnémotechnique pour ne plus se tromper sur le nom de sa patiente.

Le lundi déroula ensuite sa bobine jusqu'à l'heure d'Ella. 17 h 15.

— Elliot ? fit Sauveur en entrebâillant la porte de la salle d'attente.

Elle avait renoncé à son travestissement mais, en jean et duffle-coat, elle gardait son air de jeune garçon frêle et téméraire. Elle ferma le cahier qu'elle était en train de relire et mit son sac marin à l'épaule pour suivre son thérapeute.

— Ça avance, l'écriture ? lui demanda Sauveur sur un ton guilleret.

— Vaut mieux.

— Vaut mieux ?

— Oui, parce qu'autrement, la vie, ça pue.

Elle s'assit, son cahier sur les genoux.

— Je pense tout le temps à mon histoire. Ça m'occupe la tête.

Sauveur avait deux solutions : soit demander à Ella ce qui était allé de travers durant cette semaine, soit partir avec elle dans son imaginaire.

— Tu peux m'en dire un mot, de ton histoire ? Le personnage principal, par exemple ?

— Il s'appelle Sans-Nom. C'est un garçon qui a mon âge et qui vit tout seul dans la clairière d'une forêt. Il a une cabane qui appartenait à une femme qui l'a trouvé en bordure de la forêt quand il était bébé. C'est pour ça que c'est un peu comme *François le Champi*. Mais dans mon histoire la femme est morte il y a trois ans. Elle lui a juste laissé une renarde apprivoisée, qui s'appelle Bethsabée, un couteau magique, et des recettes pour faire des poisons avec la belladone et la jusquiame. Il en cueille dans les prés, et aussi des colchiques et des boutons-d'or.

Sauveur, intrigué, reconnut les noms de fleurs véné-
neuses et de plantes toxiques, utilisées en magie noire. Ella
glissa de sa chaise sur le parquet, son cahier tombant à
côté d'elle.

— La nuit, dit-elle, joignant le geste à la parole, il trace
un cercle dans l'air avec son couteau. Il peut s'endormir
sur l'herbe au milieu des bêtes sauvages. Il n'a pas froid, il
n'a pas peur, il est dans un cercle magique.

Ella était assise dans la clairière avec sa renarde apprivoisée, un rayon de lune éclairant son visage.

— Ça se passe dans un pays que j'ai inventé, conclut-
elle, et... je sais pas ce que je fous par terre !

Elle revint à elle avec un rire d'autodérision, puis s'assit sur sa chaise, laissant le cahier à ses pieds.

— J'ai fait quelque chose de stupide cette semaine.
C'était mardi. En latin. J'ai sorti mon cahier et je l'ai posé
sur ma table pour que madame Nozière le voie.

Elle laissa passer un temps de silence comme si, même
à l'oral, elle s'apprenait à maîtriser le suspense.

— Et alors ? Elle l'a vu ? s'impatienta Sauveur.

— Pendant qu'on faisait un exercice de thème, elle
s'est approchée de moi et elle m'a demandé ce que c'était.
J'ai dit : « Mon roman. »

Ella secoua la tête en répétant :

— « Mon roman ! » Et pourquoi pas : « mon chef-
d'œuvre » pendant que j'y étais ?

— Elle s'est moquée de toi ?

— Oh non, pas elle ! se récria Ella en rougissant. À la

fin de l'heure, comme je n'avais pas d'autre cours, elle m'a demandé si elle pouvait jeter un œil sur « mon roman »... Je sais ! Je sais ! Vous m'avez dit qu'il ne fallait pas le donner à lire tant que je n'avais pas fini, Stephen King et bla-bla-bla.

Sauveur se mit à rire.

– Je t'ai aussi dit que j'étais faillible... Alors, tu lui as laissé ton cahier ?

– Non, elle a juste lu la première page devant moi. Elle m'a dit que j'avais du style. Et que je devais réviser le passé simple parce que c'est le temps de la narration.

– Comment tu t'es sentie après ? Tu étais contente ou bien tu regrettais ?

– J'aurais voulu...

Elle se tut, troublée par ce qui lui venait à l'esprit.

– Tu sais que tu peux tout dire, Elliot. Tu es dans le cercle magique ici.

– Je voulais lui donner quelque chose.

– À ta prof ?

– Oui. Je voulais lui donner quelque chose pour qu'elle m'aime. Je voulais qu'elle voie... que j'ai de la valeur et que... quand j'aime quelqu'un... ça a de la valeur. C'est embrouillé ce que je dis, non ?

– Pas du tout. Je pense que madame Nozière a été touchée que tu lui aies fait cadeau de ta confiance.

Il s'aperçut alors qu'Ella, froissant le cahier avec ses pieds, était en train d'en détacher la couverture.

– Pourquoi fais-tu ça ?

– Parce que c'est nul.

Il comprit qu'il s'était passé autre chose après l'épisode avec madame Nozière et souffrit à peu près autant qu'Ella au récit qu'elle lui fit. Une des filles du cours de latin avait surpris le début de l'échange entre Ella et la prof, et dès le mercredi matin elle était venue parler de son roman à Ella, prétendant qu'elle-même écrivait. Puis elle lui avait fait raconter l'intrigue du *Garçon Sans-Nom*, ponctuant les épisodes de : « C'est super ! C'est mieux que *Harry Potter*, etc. » Ella aurait dû se méfier de l'outrance des louanges, mais quel écrivain débutant s'étonne qu'on lui trouve du génie ? En réalité, la demoiselle, une certaine Marine Lheureux, était moqueuse, et elle s'était empressée de raconter l'histoire de Sans-Nom à ses copines, en la rendant bien ridicule. Le vendredi, à la sortie de la cantine, cinq filles de la 4ᵉ C, celles qui s'étaient déjà amusées à l'appeler « Pas carré », s'étaient jetées sur Ella, en faisant semblant d'être des fans et en lui réclamant des autographes.

– Elles criaient : « Vous êtes mon auteur préféré ! », « J'ai trop hâte de savoir la suite ! », les imita Ella, tout en piétinant le cahier.

Sauveur craignit qu'Alice Rocheteau n'ait fait partie de la meute. Dans ce comportement bête et méchant, la cruauté entrait pour un quart et la stupidité pour les trois quarts restants. Alice n'était probablement pas la meneuse, mais la contagion avait pu la gagner.

– À la maison, poursuivit Ella, quand maman me voit écrire, elle me fait : « Toujours dans tes gribouillis ? »

Dimanche, j'ai dit à table : « Quand je serai grande, je serai écrivain », et papa m'a répondu : « Tu ne pourras pas faire les deux à la fois. » Il paraît que c'était une plaisanterie... Marine aussi m'a dit : « Mais on rigoooole ! Ah, là, là, si tu prends tout mal ! T'as pas d'humour. »

– Pourrais-tu ramasser ton cahier ? l'interrompit Sauveur, voyant qu'elle allait le mettre en charpie.

Ella donna un petit coup de pied dans le cahier, que son thérapeute ramassa. Il prit la peine de chercher du scotch dans le tiroir de son bureau et de le réparer.

– Maintenant, écoute-moi, Elliot, dit-il en rendant le cahier à sa propriétaire. Je t'interdis, tu m'entends ? Je t'interdis de le détruire. Ton imaginaire et ton goût pour l'écriture font de toi quelqu'un de spécial, quelqu'un de différent, et c'est ce que ces filles de quatrième voient et jalousent.

Il ne voulut pas leur coller trop vite l'étiquette de harceleuses pour ne pas effrayer Ella, mais la plaisanterie pouvait se transformer en harcèlement. Le côté artiste d'Ella n'était pas seul en cause. Son androgynie devait aussi intriguer ou perturber ses camarades.

– Et pour ta maman avec son « Toujours dans tes gribouillis ? », je crois qu'elle se fait un peu l'effet d'une poule qui a couvé un œuf de cane.

L'image rendit le sourire à Ella.

– Demandez-moi un verbe au passé simple, dit-elle au moment de quitter son thérapeute.

– OK. Le verbe épater ?

– Houlà !… Alors, fit-elle en fronçant les sourcils, c'est du premier groupe. J'épatai, tu épatas, il épata, nous épatâmes, vous épa… tâtes ! Ah, j'adore, j'adore ! Je le réciterai à madame Nozière.

Elle s'éloigna rue des Murlins, démarche hardie, sac à l'épaule.

Sauveur revint dans son cabinet, doutant un peu que mademoiselle Motin viendrait comme elle s'y était engagée. Après cinq minutes, puis dix minutes de retard, content comme un collégien qui voit que son prof n'arrive pas, il feuilleta une revue, donnant encore cinq minutes à la retardataire avant de lui fermer sa porte. Il entendit alors des hurlements dans la rue et se leva pour jeter un coup d'œil par la fenêtre. Mademoiselle Motin montait les marches du perron, portant un couffin à bout de bras. Il se dépêcha de lui ouvrir.

– Je pouvais pas le laisser dans la voiture, se justifia-t-elle sur un ton agressif, comme si son thérapeute lui avait adressé un reproche.

Elle bringuebalait le couffin sans précaution et le lâcha sur le canapé comme on ferait d'un sac de commissions.

– Pfou, c'est lourd… Bon, alors, je vous préviens tout de suite : il a mangé, il est propre, il va bien. C'est juste qu'il gueule tous les soirs à cette heure-là.

– *« C'est l'heure où les douleurs des malades s'aigrissent ! / La sombre Nuit les prend à la gorge… »*

– C'est quoi, ça ? l'interrompit Pénélope, de ce ton outré qu'elle aimait prendre avec lui.

– *Crépuscule du soir* de Baudelaire. C'est normal d'avoir le bourdon à 19 heures.

Il s'accroupit près du couffin et put constater qu'une fois de plus Pénélope avait menti. Elle avait dit qu'elle avait accouché un an auparavant. Or, le bébé n'avait pas plus de quatre mois. Il hurlait à pleins poumons, rouge de rage et sans doute aussi de chaleur, dans sa doudoune Tartine et Chocolat.

– Bonjour bonhomme, bonjour, le salua Sauveur de cette voix un peu gnangnan qu'on prend pour s'adresser aux bébés, et éventuellement aux hamsters. Comment tu t'appelles ?

– Il risque pas de vous répondre, ironisa mademoiselle Motin.

– Et vous ? Vous pouvez ?

– Ben oui, c'est A… lbert.

– La dernière fois, c'était A… natole. Mais Albert lui va aussi très bien. En revanche, le col de son manteau a tendance à lui entrer dans les yeux. Donc, on va peut-être…

Il glissa une main sous le postérieur du bébé, plaça l'autre sous sa nuque et le décolla du couffin.

– Il aime pas qu'on l'attrape quand il est en colère, avertit sa mère.

Avec une habileté de nourrice agréée, Sauveur, tout en maintenant l'enfant contre lui, réussit à lui ôter son vêtement.

– Voilà, c'est mieux. Dis donc, Albert, tu en as une belle salopette Jacadi à 3 000 euros.

— C'est bon, exagérez pas ! C'était en solde. Je l'ai eue à 80… Il fait vraiment minus dans vos bras, ajouta Pénélope d'une voix soudain changée.

Sauveur se mit à marcher en rond dans son bureau, tout en berçant l'enfant, bien lové contre lui.

— Il est beau, votre petit gars, Pénélope, il est bien fini. Vous avez fait du bon travail, j'espère que vous êtes fière de vous.

Il parlait de sa voix d'hypnotiseur, et Albert (pour dire un nom) le regardait, tout ébaubi, oubliant sa colère du soir. Quand Sauveur voulut le rendre à sa maman, il vit que c'était elle qui pleurait. Bingo ! Il avait renforcé son manque de confiance en elle, en lui prouvant qu'il était capable de calmer son enfant.

— Ça va aller, Pénélope, vous vous en sortez très bien. Il est bien portant, votre garçon. Il se défoule, le soir, comme la majorité des bébés. Ce sont des personnes un peu à cran…

La fin de la séance ressembla à un cours de puériculture. Sauveur montra à Pénélope comment tenir son bébé pour qu'il se sente en sécurité, en berceau le long du bras ou face tournée vers le monde. Le regard concentré, attentif à ce qui lui arrivait, monsieur Albert se laissait faire. Sa maman restait une énigme pour Sauveur. Mais comme disait Freud : «On doit apprendre à supporter une part d'incertitude.»

Ce soir-là, au dîner, Lazare soutint seul la conversation. Il y avait donc deux sujets possibles : les coloriages et les hamsters.

— Paul a les dinos, moi, j'ai encore les bouquets de fleurs, c'est nul, c'est un coloriage de fille ! Alors, on a partagé, Paul et moi. Moi, j'ai colorié Petit-Pied, et lui, Dents-Tranchantes. Comme ça, on a terminé après la récré, et madame Dumayet a dit que, si on travaillait bien et qu'on faisait moins de bruit, lundi, on aurait un coloriage de *Cars*. Tu te rends compte, papa, *Cars* !!

Sauveur nota que Gabin, habituellement très taquin avec Lazare, restait silencieux. Quelque chose ne tournait pas rond chez le garçon. Sauveur éloigna un instant Lazare en lui demandant de reporter la cage de madame Gustavia dans le cabinet de consultation, où elle pouvait, sans gêner les voisins, faire la nouba jusqu'à cinq heures du matin.

— Papa, dit Lazare, attrapant la cage par la poignée, est-ce que tu crois que madame Gustavia est enceinte ?

— La vraie question, c'est de savoir combien de bébés hamsters je vais être obligé d'euthanasier.

— Oh non, supplia son fils, tu vas pas faire ça !

Sauveur vit venir le moment où il afficherait de nouveau dans la salle d'attente : « Possibilité d'avoir un joli hamster dans 5-6 semaines. Le réserver auprès de monsieur Saint-Yves. » Il allait être connu dans tout le quartier comme le psy-aux-hamsters. Dès que Lazare se fut éloigné, Sauveur se tourna vers Gabin.

— Ça va ?

— Mouais.

Sauveur prit la chose autrement.

— Qu'est-ce qui ne va pas ?

— Je suis allé à Fleury.

— Ah ? Tu y es allé sans moi… Tu as vu ta mère ?

— Je l'ai vue, mais je ne sais pas si elle, elle m'a vu. Elle disait mon nom, mais elle avait l'air de parler à quelqu'un qui était à côté de moi, peut-être le mec au ouistiti… Vous croyez que je risque d'avoir ça, moi aussi ?

— Ça quoi ?

— La schizophrénie.

C'était le diagnostic que s'était autorisé devant lui une jeune infirmière, et il avait ensuite googlé « schizophrène ».

— Les premiers symptômes, c'est à mon âge. Et c'est génétique.

— Il y a seulement un facteur de risque un peu plus élevé chez ceux dont l'un des parents est diagnostiqué schizophrène, rectifia Sauveur.

— Donc, tant que je vois plus de hamsters que de ouistitis, y a pas de souci ?

*
* *

Ce lundi, Louise se repassait le film de son week-end. *Louise au pays des garçons.* C'était le titre, et le scénario était assez simple. Les deux jours s'étaient écoulés en délires hamstériens, en fous rires avec le grand Gabin, en blagues, coloriages et découpages. Paul, qui était quelque peu accro aux émissions de télévision et aux jeux vidéo, n'avait rien réclamé, ce qui était préférable, car il n'y avait chez les Saint-Yves qu'un ordinateur en commun et une connexion poussive. Mais Sauveur avait accroché une balançoire neuve au portique du jardin et tout le monde s'était balancé, même Bidule, agrippé à la planche.

— Il a peur de rien, il a peur de rien ! hurlaient les garçons, dansant autour de lui comme s'il s'agissait de quelque totem indien.

Il faisait si beau, et les rosiers échevelés sentaient si bon. Que du bonheur pendant les deux tiers du film.

Plus dure avait été la chute le dimanche soir, quand Louise était allée chercher Alice chez son père.

— Tu ne pouvais pas passer plus tôt ? On est à table, l'accueillit Jérôme dans l'entrée.

— Ah bon ? À 19 heures ?

— Et alors ? Tu dînes à minuit avec ton psy ?

Jusqu'à présent, Louise avait fait beaucoup d'efforts pour distinguer le couple conjugal (*dead*) du couple parental (*still alive*), comme il est conseillé dans les livres de psychologie.

— Excuse-moi, dit-elle sans répondre à la provocation. D'habitude, je reprends les enfants à 19 heures.

— D'habitude, tu ne me refiles pas Alice quand c'est ta semaine.

Le ton grimpait. On allait en venir aux mots qui fâchent.

— Et je te signale, ajouta Jérôme, qu'Alice ne voulait pas rester avec toi parce qu'elle ne voulait pas aller crécher chez ce... ce type-là, qu'elle ne connaît pas. Les enfants ne doivent pas être trimbalés, ils ont besoin de stabilité et...

— Alors ça ! C'est toi, c'est TOI qui parles de stabilité alors que tu nous as abandonnés pour cette greluche !

— Je ne te permets pas d'insulter Pimprenelle. Et je n'ai abandonné personne, on s'est séparés. La séparation est un droit humain...

— « Un droit humain » ? Non mais je rêve ! On ne s'est pas séparés, tu m'as plantée. La répudiation, c'est un droit humain ?

Ce lundi matin, revisionnant la scène, Louise sentit son cœur qui s'emballait, et tandis qu'elle passait du mascara sur les cils, ses mains tremblèrent tant qu'elle dut s'interrompre pour ne pas se crever un œil. Elle regrettait d'avoir traité Pimprenelle de greluche. Monsieur Saint-Yves, psychologue clinicien, aurait été horrifié de voir quelle harpie elle pouvait être.

— Alice ! appela-t-elle depuis la salle de bains. Alice, tu es prête ? Il est 9 h 30 ! Si tu veux que je te dépose...

Louise retint un cri d'effroi quand elle vit sa fille, fin prête pour le collège, l'attendant dans l'entrée.

— Mais qu'est-ce qui t'est arrivé ?

Alice avait pris une teinte jaune orangé. Elle marmonna quelques mots indistincts en masquant son visage derrière un rideau de cheveux. Suivant les recommandations de Pimprenelle, elle avait étalé du fond de teint couvrant sur ses boutons. Louise était pressée et peu désireuse de provoquer une scène. Elle avait bien sûr remarqué que sa fille avait des boutons, mais à 13 ans, c'était normal, et il ne fallait pas «focaliser sur l'apparence», comme elle l'avait écrit dernièrement dans un article sur la tyrannie du look chez les adolescents. Depuis quelque temps, elle proposait des articles de société au rédacteur en chef de *La République du Centre* et elle avait un nouveau sujet en tête : une famille irakienne, fuyant les djihadistes de l'État islamique, qui était arrivée au mois d'août à Orléans.

Les Haddad – c'était leur nom –, le père, la mère et leurs trois enfants étaient logés dans un trois-pièces du presbytère attenant à l'église Saint-Paterne. Un lycéen de 17 ans, Félicien L., leur avait créé une page Facebook pour mettre en place autour d'eux une chaîne de solidarité. Une maman avait donné des grenouillères pour le bébé de madame Haddad, une institutrice à la retraite s'était mise à la disposition de la famille pour des cours intensifs de français, etc. Un bel exemple à donner aux lecteurs, se dit Louise en se garant devant le presbytère.

– *Come in, welcome !*

Madame Dina Haddad parlait anglais. Avec ses cheveux couleur miel foncé et ses yeux fardés, elle ne ressemblait à rien de ce qu'avait prévu Louise. Cependant son visage lui était familier, elle l'avait déjà vu dans le quartier.

– *You DO have three children ?* s'émerveilla Louise, car cette mère de trois enfants faisait très jeune.

Dina lui énuméra : Zaïd, 5 mois, Yohanna, 4 ans, et Raja, 6 ans.

— Voilà, c'est ça ! s'exclama Louise. Raja ! Elle est dans la classe de mon fils.

Les deux femmes s'étaient entraperçues à la sortie de l'école. Toutes deux s'assirent sur le sofa et Louise sortit son carnet, un stylo, pour noter à la volée tout ce que madame Haddad accepterait de lui confier.

Elle avait 26 ans, dit-elle, elle était mariée à Youssef, professeur de violon. Peu après l'entrée des djihadistes dans Mossoul le 10 juin, monsieur Haddad avait perdu son emploi, la musique étant interdite. Les hommes de Daech avaient marqué la maison des Haddad d'une lettre qui les désignait comme nazaréens, c'est-à-dire chrétiens. Puis les nouveaux maîtres de la ville, circulant en pick-up dans les quartiers chrétiens, avaient diffusé ce message par haut-parleur : « Convertissez-vous, devenez sujets du Califat. Sinon, partez sans rien emporter. » Refusant de se soumettre aux islamistes, les Haddad avaient bourré leur break. À la sortie de la ville, quatre hommes les avaient fait ranger sur le bas-côté.

— Ils nous ont demandé de sortir du break. Ils ont pris tout ce qu'on avait dans la voiture. Puis on a pu partir.

Était-ce à cause de son anglais ? Madame Haddad ne donnait aucun relief à son récit, ne transmettait aucune émotion. Louise songea qu'elle allait réchauffer son article en le centrant sur le lycéen, Félicien L., qui avait fait preuve « d'une générosité à l'image de sa génération, branchée sur les réseaux sociaux, etc. ».

Pendant ce temps, à l'école Louis-Guilloux, la petite

Raja, très absorbée par son coloriage, recouvrait un bouquet de fleurs de petits carrés alternativement bruns et noirs. Madame Dumayet ne s'en aperçut pas tout de suite parce qu'elle s'affairait du côté des CM1. La veille au soir, elle avait eu une nouvelle révélation pédagogique en parcourant un article dans *Le Monde de l'éducation* : « L'école n'est pas faite pour les garçons. » 80 % des punitions à l'école étaient données aux garçons, disait une sociologue. Madame Dumayet, faisant son examen de conscience, avait dû admettre qu'elle grondait la plupart du temps les garçons de sa classe. Le petit Paul Rocheteau, par exemple, avait déjà eu deux mots en rouge dans son carnet de liaison depuis le début de cette année. Madame Dumayet avait donc décidé de mettre en place une pédagogie positive à l'égard des garçons, en récompensant leurs efforts plutôt qu'en punissant leurs bêtises. D'où, ce lundi matin, une large distribution de coloriages *Cars*, dont Paul et Lazare avaient été les premiers bénéficiaires. Remarquant que les filles tordaient un peu le nez devant cette prolifération d'engins motorisés, la maîtresse avait sorti de sa chemise en carton des coloriages de *La Reine des Neiges*. Il n'y avait plus qu'à espérer qu'elle ne lirait pas ce soir-là un article sur la nécessaire lutte de l'école primaire contre les stéréotypes garçon-fille, ou elle passerait une nouvelle nuit blanche.

– Maîtresse ! fit soudain la petite voix flûtée de Jeannot, y a Raja… y a Raja qui… y a Raja qui m'a pris mon feutre noir.

En effet, la petite fille, ayant usé son feutre à force de noircir ses coloriages, avait emprunté celui de son voisin. Décidément, cette enfant n'allait pas bien. Madame Dumayet devait parler à sa maman. L'échange risquait néanmoins d'être compliqué, car en ce qui concernait la langue de Shakespeare, madame Dumayet n'était jamais allée au-delà de la leçon sur les jours de la semaine. On était donc Monday quand madame Dumayet repéra à la sortie de l'école madame Haddad à côté de Louise Rocheteau. Elles avaient l'air de se connaître. Paul se jeta au cou de sa maman tandis que Raja se cachait derrière la sienne.

— *Hello... How are you?* se lança madame Dumayet.

— Ço va, meurci, répondit Dina, qui avait pris ses premiers cours de français.

La maîtresse désigna Raja, toujours blottie contre sa mère.

— Elle est... *She is...* timide.

— *Shy*, intervint Louise.

Dina approuva, l'air peu concerné : « *Yes, shy.* » Madame Dumayet porta la main à sa tête.

— *Raja see a doctor* pour... *la cabeza.* Non, c'est pas ça...

Du regard, elle sollicita Louise pour qui, en anglais, en français ou en espagnol, psychologue se disait : Sauveur Saint-Yves. Louise détacha une feuille de son carnet tout en expliquant à Dina qu'elle connaissait « somebody » qui pourrait aider Raja à sortir de sa coquille. Comme Louise écrivait les coordonnées de Sauveur, madame Dumayet jeta un coup d'œil par-dessus son épaule et s'aperçut qu'elle avait pensé au même somebody. Elle avait été suivie par Saint-Yves de mars à juin, à raison d'une séance par quinzaine, ce qui lui avait permis de diminuer, puis de supprimer pendant l'été son traitement anxiolytique. Il était temps qu'elle reprenne rendez-vous, car il n'y avait plus qu'une seule cartouche dans la chemise en carton : des coloriages *Star Wars*. Une fois qu'elle aurait atteint ce climax pédagogique, elle ne pouvait plus que descendre, et sa classe redeviendrait agitée.

*
* *

Ce mardi matin, Sauveur alluma un bâtonnet d'encens avant l'arrivée d'un de ses patients.

— Bonjour, Samuel !

Sauveur pensa que le garçon faisait exprès. Son état empirait d'une fois sur l'autre. À présent, il avait les cheveux graisseux. Lui, ce n'était pas l'enfant sauvage de l'Aveyron (lequel prenait des douches jusqu'à vider le ballon d'eau chaude), c'était Crasse-Tignasse.

— Ça marche super bien, la psychothérapie, lui annonça le garçon en s'asseyant sans ôter sa parka. Je me suis pris un autre râteau cette semaine. Alors, ça fait six. Non, sept.

— Tu as l'air de tenir une comptabilité sérieuse.

— Vous faites pas pareil ? Sauf que vous, ça doit être le nombre de filles que vous avez eues dans le mois.

– Il y a une chose que je ne comprends pas bien. C'est cette histoire de râteau. Je connais l'instrument, je m'en sers parfois pour ramasser des feuilles mortes. Mais je suppose que tu as une autre définition de ce mot?

Samuel regarda son thérapeute avec une mimique appuyée d'hébétement.

– Vous savez pas ce que c'est qu'un râteau? finit-il par demander.

– J'aimerais bien que tu m'expliques.

– Ben, c'est quand une fille vous dit non.

– Non à quoi?

Samuel leva les yeux au plafond en maugréant : « Mais putain… »

– Bon, OK, j'explique, se reprit-il. Tu proposes à une fille de sortir avec toi ou tu lui envoies un texto genre je te kiffe, et elle te répond d'aller te faire foutre. Voilà.

– Elle te regarde et elle te dit : «Va te faire foutre»?

– Mais non! Mais pas comme ça! se récria Samuel. Elle dit des trucs genre pour moi, t'es un copain, ou je t'aime comme mon frère, ou j'ai quelqu'un d'autre en vue, ou je suis trop jeune pour ça.

– Donc, c'est plutôt gentil.

– Ça veut quand même dire : «Va te faire foutre.»

– Non. Ce n'est pas insultant.

– Ouais, enfin, ça peut aussi être : «Tu t'es regardé?» Je suis pas leur type, en fait. Le type de garçon qu'elles aiment.

– C'est quoi, le type de garçon qu'elles aiment?

– À 15-16 ans, elles cherchent un mec mignon, le blond, qu'a pas d'acné, qui aime sa maman.

– Qui aime sa maman ?

– Oui, enfin, c'est pour dire qu'il est gentil. Le mec gentil.

– Si je me souviens bien, Samuel, tu es venu ici la première fois parce que tu avais des problèmes relationnels avec ta mère ?

– Vous en auriez aussi, si c'était la vôtre. Toujours à rentrer dans ma chambre, à faire mon lit, à me dire de me laver, de changer de caleçon, enfin, des trucs quoi, ça la regarde pas ! Je lui dis d'aller se faire foutre !

– D'aller se faire foutre, dit Sauveur en écho.

– Je suis pas le mec gentil, affirma Samuel rageusement.

– Et donc, tu collectionnes les râteaux.

– Parce que je suis pas gentil avec ma mère ?

– Tu penses que c'est pour ça ?

De nouveau, le garçon maugréa : «Mais putain…», cherchant des yeux quelqu'un qui compatirait. En réponse, le téléphone sonna sur le bureau.

– Excuse-moi, fit Sauveur, content d'aller respirer un peu plus loin. Oui, allô ?… Quoi ? *Oh, you speak English ? OK, no problem, I understand.*

C'était madame Haddad qui appelait. Elle souhaitait consulter pour sa petite Raja *«who is very, very shy»*. Comprenant que madame Haddad se recommandait de *«missis Roch'tiou»*, Sauveur se sentit obligé de l'inscrire sur son agenda pour le samedi à 9 heures, alors qu'il ne voulait plus travailler le week-end.

— Ça fait stylé de répondre en anglais au téléphone, remarqua Samuel. Je devrais peut-être essayer ça pour les impressionner.

— Impressionner qui ?

— Mais les filles, putain ! Les filles, les filles, les filles !

— Cela paraît tenir une grande place dans ta vie.

— Parce qu'il y a autre chose ?

Sauveur aurait pu répondre qu'avant d'impressionner les filles, ce serait judicieux de ne pas tout faire pour les dégoûter. Mais s'il donnait à Samuel des conseils tels que : «Prends une douche» ou bien «Change de sous-vêtements», à qui lui ferait-il penser ?

— Au revoir, Samuel. À la semaine prochaine.

— Ça sert à rien que je vienne, dit le garçon sur le pas de la porte. J'ai même donné un coup à ma mère dimanche soir.

— Pardon ? sursauta Sauveur.

— Non, mais pas… pas fort, rectifia Samuel, assez penaud. Elle fait trop chier. J'avais mis un loquet à ma porte. Elle l'a démonté pendant que j'étais avec mes copains.

— Mm, mm. Il faudra peut-être qu'on prévoie une séance avec ta mère pour que vous vous expliquiez ?

— C'est ça. Et elle voudra savoir tout ce que je vous dis.

Sauveur rappela au garçon qu'un psychothérapeute était tenu au secret.

— Ma mère ferait parler un muet, dit le garçon sur un ton convaincu. Et quand vous aurez le dos tourné, elle fouillera dans vos poches arrière pour voir si vous cachez pas des préservatifs.

Après avoir éteint le bâtonnet d'encens, dont l'odeur était au fond plus entêtante que celle de Samuel, Sauveur eut un coup de fil de madame Dumayet. Il dut lui donner aussi un rendez-vous pour le samedi matin, cette fois à 8 h 15. Ce qui le soutenait au cours de ses longues journées d'écoute, c'était la perspective du dîner avec ceux qu'il appelait « les garçons ». La petite phrase de Louise lui trottait dans la tête : « Gabin, c'est presque ton deuxième fils. » Non, bien sûr, ce n'était pas son fils. Mais plus il cherchait à déloger la petite phrase, et plus elle revenait. Presque mon deuxième fils. Mon deuxième fils.

Au dîner, madame Gustavia mangea comme quatre (mais peut-être cinq ou six), et Sauveur se demanda s'il était bien raisonnable de pourvoir toute sa clientèle en hamsters.

— Je sens que vous allez mettre au point un nouveau traitement, lui répondit Gabin, l'air inspiré. La hamstéro-thérapie.

Après le dîner, tous trois montèrent dans le bureau du premier étage avec la cage de Sauvé, dont c'était l'heure de gloire. Malheureusement, ce sujet terne et trouillard souffrait de la comparaison avec Bidule.

— Papa, demanda Lazare ce soir-là, pourquoi Paul n'est pas resté avec nous ?

— Parce que c'est le fils de Louise.

— Mais Louise pouvait rester aussi, fit Lazare, qui avait l'esprit large.

À 21 heures, chacun dut rejoindre ses quartiers, Lazare dans la chambre qu'il espérait partager un jour avec Paul, Sauveur dans la sienne en attendant qu'elle devienne aussi celle de Louise, et Gabin dans son grenier.

— Tu es sûr que Sauvé ne t'empêche pas de dormir ? lui demanda Sauveur, le voyant emporter la cage avec lui.

— Il y a des souris dans votre grenier. Je vais faire des croisements.

Il y avait des bruits la nuit dans le grenier, des grattements, des couinements, qui indiquaient la présence de petits animaux. Gabin, qui dormait à même le sol, n'était qu'à moitié rassuré. Sauvé dans sa cage, faisant tourner sa roue ou fouissant dans le sable, était un bruit familier et rassérénant. Puis si, malgré le remue-ménage du petit hamster, l'angoisse prenait le dessus, Gabin enfonçait des écouteurs dans ses oreilles et s'injectait *I only want you* dans le cerveau. Les Eagles of Death Metal. Entre ses tympans explosés, des bribes de pensées surnageaient. Maman est folle. Je ne vais plus à l'école. Parler à Sauveur. Il n'y a que Sauveur. Qui peut encore me sauver. Et sans se rendre compte de ce qu'il faisait, Gabin chantait d'une voix de fausset : « *I only want you, I only want you.* »

Chacun sa façon d'aborder la nuit, Sauveur se mit au lit avec son livre psy du moment, *Ni homme ni femme : enquête sur l'intersexuation.* Il l'avait emprunté à la médiathèque peut-être en songeant à Ella. Mais l'enquête portait sur les bébés dont on ne peut pas définir le sexe à la naissance par suite de malformations. Ella était fille à 100 %, elle avait eu ses premières règles huit mois plus tôt. Mais elle gardait une apparence ambiguë. Pas de fesses, pas de seins, ni de hanches. Ni fille ni garçon. Une brindille. Tandis qu'il parcourait le premier paragraphe de son livre sans réellement le lire, sa pensée sauta d'Ella à Blandine, qu'il devait voir le lendemain.

– Meeerde !

Chaque jour de la semaine, il s'était promis qu'il regarderait les vidéos des fans de Pullip. Or le lendemain était mercredi, le jour de Blandine. Allait-il sortir de son lit, retourner dans son bureau, rallumer son ordinateur, surfer sur YouTube, uniquement pour être au taquet question Pullip ? La réponse était oui.

Une heure plus tard, Sauveur était toujours devant son écran à regarder ces petites poupées finement articulées, portant jupons à dentelles et bas résille, vivant leurs drames de cœur dans des maisons de papier. Retenant son souffle et parfois son envie de rire, il se faisait l'effet de l'éléphant dans le magasin de porcelaine. Les vidéos les plus regardées étaient celles d'une certaine MisfitPullip89 qui avait jusqu'à 75 000 vues et 18 000 abonnés à sa chaîne ! À 12 ou 13 ans… Ces histoires, photographiées image après image, où la poupée s'exprimait dans des phylactères, ressemblaient au roman-photo d'autrefois, où la belle actrice au généreux décolleté s'écriait dans un cartouche : « Quoi,

tu me trompes avec cette vipère ? », sauf que là, c'était :
« Hein ? Tu couches avec cette pétasse ? » Qu'il s'agisse d'un
psychopathe rôdant à Pullipcity dans *Le Tueur derrière la
porte* (déconseillé aux moins de 9 ans) ou d'une collégienne
trahie par son petit copain dans *Jeu d'amour mortel*, le récit
se dénouait dans un bain de sang. Merci à la maison Playmobil pour le prêt des pistolets de cow-boy et des couteaux de pirate. La conclusion défilait sur l'écran comme
dans certains films *based on a true story*, ce qui donnait :

Melody conduite à l'hôpital est décédée des suites de ses blessures.
Laura a été envoyée en prison pour 20 ans.
Ichiro vit désormais seul et traumatisé en fauteuil roulant.

FIN

C'était l'enfance qui mourait là, dans un massacre de
poupées. Dans quelques années, mademoiselle Misfit-
Pullip89, ou quelque autre, passerait le concours de la
Fémis et deviendrait cinéaste… Comme les réalisatrices
en herbe prenaient toutes des pseudonymes, Sauveur ne
put deviner où se cachait Blandine. Il s'en informerait le
lendemain et la féliciterait. Il aimait la créativité de ses
jeunes patients, avec tout ce qu'elle exprimait d'ingénio-
sité et de confiance en soi. Il était donc assez impatient
de retrouver Blandine à 17 heures. Dans quelle posture
serait-elle ? Accroupie contre le radiateur ou faisant le
poirier sur le tapis ?

— Blandine ?

Elle était assise à croupetons sur la chaise, un fil de couleur lui pendant de la bouche, assez semblable à quelque petit singe domestique. Elle se dépêcha de remonter le fil dans sa bouche par le seul jeu de ses mâchoires – c'était une confiserie – et elle se mit debout, brandissant un sac de papier.

— Ch'est mon goûter, dit-elle.

Elle l'ouvrit sous le nez de Sauveur pour qu'il puisse admirer des bananes, des œufs au plat, des frites, des Schtroumpfs, des langues, des bouteilles d'Orangina, des crocodiles, tout un tas de bonbons à la gélatine de porc, qui se tenaient agglutinés.

— *Nice*, commenta Sauveur. Ça ne va pas te donner un peu soif ?

— J'ai tout qu'est-ce qui faut, répondit Blandine, sortant une canette de Coca de son sac à dos.

Elle en fit claquer l'opercule et en téta la moitié.

— Tu vas te rendre malade, observa Sauveur, sans paraître s'inquiéter.

Elle se mit à rire, ce qui fit gicler un peu de Coca hors de ses lèvres.

— Ça fait roter, dit-elle. Comme ça.

Elle appuya une main sur l'estomac et expulsa de l'air.

— Et ça fait péter aussi.

— On s'arrêtera là pour la démonstration, dit Sauveur, lui désignant une chaise.

Mais elle s'effondra sur le canapé, le sachet de bonbons

à côté d'elle, et se déversa sur son thérapeute, bien plus qu'elle ne lui parla.

— Samir, il peut avoir les bonbons Haribo au kilo par son oncle. Alors comme la cantine c'est dégueu (on peut juste manger le pain), à la récré d'après, on fait un vrai repas avec les paquets de bonbons, et chacun son tour on amène des biscuits, et moi c'est les canettes de Coca ou d'Orangina. C'est trooop bon. Des fois, on a un peu envie de vomir, mais c'est quand on bâfre vraiment comme des porcs.

— Tu n'as pas peur d'engraisser comme les porcs en question ?

Elle rit comme si c'était la meilleure blague de l'année.

— Louna, elle commence à avoir des joues comme ça, fit-elle en gonflant les siennes. Moi, ça va. Je suis comme maman. Je grossis pas. Et au fait, vous savez quoi ?

Elle bondit en posant sa question.

— On fait des défis du jour avec Samir, Louna et les autres, on met plein de marshmallows dans la bouche, on ressemble à madame Gustavia, et il faut dire : « les chaussettes de l'archiduchesse », on crache de partout, même du nez, on est mooorts de rire, et Samir filme pour YouTube. Et puis aussi on fait le challenge Têtes Brûlées, c'est des bonbons, je sais pas si vous connaissez ? Non, of course, mais c'est pire que le piment, ça t'arrache la gueule. On fait le pari qu'on en mange à la suite six ou huit. Le maximum sans être mort, c'est vingt, parce qu'après tu as les intestins qui éclatent. Et on fait aussi le Jelly Belly

Contest, c'est avec des bonbons qui sont mélangés, les bons et les dégueus. Ils ont la même couleur, alors, tu peux pas savoir si tu vas te taper le goût pêche ou le goût vomi. On fait le Contest à deux, on prend la même couleur, et on sait pas sur quoi on va tomber, si c'est pet de putois ou réglisse, pudding au chocolat ou pâtée pour chien, mais bon, en fait, je trouve tout dégueulasse. Même quand ils disent que c'est citron vert, la vie de ma mère, c'est comme du Canard Vécé, t'as trop envie de recracher.

Sauveur avait pensé parler avenir avec Blandine, créativité et cinéma d'animation, et il avait en face de lui une enfant surexcitée qu'un psychiatre mettrait d'emblée sous Ritaline.

— Au revoir, Blandine. La semaine prochaine, on essaiera de parler d'autre chose que de bonbons?

— Ouais, ça vous intéresse pas trop, répondit Blandine, tout à fait consciente d'avoir déçu son thérapeute.

Sauveur prenait néanmoins la chose avec philosophie. Ses jeunes patients ne venaient pas le voir pour lui donner satisfaction, il pouvait même représenter à leurs yeux l'autorité à narguer. Mais si Sauveur conservait son égalité d'humeur ce mercredi, c'était aussi parce qu'il attendait Louise et ses enfants pour le dîner. Encore un rendez-vous, et il pourrait passer du côté de sa VP. Le téléphone sonna alors qu'il était en train de débriefer une jeune femme célibataire de 29 ans, qui pleurait à gros bouillons la mort de son chat, et à qui sa mère répétait qu'elle « se laissait aller ».

– Excusez-moi, fit Sauveur, pressentant que ce serait Louise et que ce serait désagréable.

En effet, c'était Louise, elle était vraiment désolée, mais ça n'allait pas être possible pour ce soir à cause du déménagement. Il y avait encore beaucoup de cartons à faire et elle était toute seule et...

– Je suis en rendez-vous, coupa-t-il. On se rappelle, d'accord ?

Quand Louise raccrocha, une larme déborda de ses yeux. Elle avait menti à Sauveur. Mais comment aurait-elle pu lui dire la vérité ? Quand elle était entrée dans la chambre d'Alice, où il ne restait plus que le lit, pour lui demander de se préparer, sa fille avait marmonné quelque chose comme : «Je reste là, allez-y sans moi.» Cette fois, Louise n'avait pas voulu céder. Elle ne demandait pas grand-chose, juste qu'on passe une soirée chez les Saint-Yves.

– On rentrera de bonne heure.

Alice avait relevé la tête, qu'elle tenait si souvent baissée, et elle avait fait front :

– J'y vais pas et j'irai pas. Tu fais ce que tu veux de ta vie, tu t'envoies en l'air avec qui tu veux, mais c'est pas mon problème.

– Tu entends comment tu me parles ?

– Ce type, je le connais pas. En plus, il y a quelques mois, il y a eu la police chez lui, on ne sait même pas pourquoi. Et il y a cette espèce de junkie, Gabin, qui squatte son grenier, c'est n'importe quoi ! J'en ai parlé avec papa, je suis bien d'accord avec lui. C'est pas un endroit pour Paul et c'est pas un endroit pour moi !

Alice était manipulée par son père. Il lui pourrissait la tête de calomnies, des calomnies d'autant plus efficaces qu'elles contenaient des bribes de vérité. Sauveur avait eu affaire à la police quelques mois plus tôt quand un homme s'était introduit chez lui en son absence et avait voulu tuer Lazare. Louise ne savait pas grand-chose à ce sujet, Sauveur ne souhaitait pas en parler. Un fou, avait-il dit. Mais c'était sans doute plus compliqué. Quant à Gabin, Louise l'avait vu traîner dans la rue à l'heure où il aurait dû être au lycée, et sa mère était hospitalisée en service psychiatrique. Mais c'était un gentil garçon, qui n'avait pas d'autre addiction que *World of Warcraft* sur son ordinateur.

À présent, Louise devait parler à Paul, lui dire qu'il n'irait pas chez son copain comme prévu, et il pleurerait, et il crierait qu'Alice gâchait toujours tout ! Un instant, Louise eut envie de prendre Paul par la main et de courir retrouver la grande cuisine claire, l'inévitable pizza-salade, le chahut des garçons et les larges épaules de Sauveur. Mais ce n'était pas possible de laisser Alice seule, faisant sa mauvaise tête dans cette maison dévastée.

Alice, agrippée à son téléphone portable comme à sa bouée, ne comprenait même pas pourquoi elle avait répété à sa mère ce qu'elle avait entendu dans la bouche de son père. Elle aurait voulu son ardoise magique, celle que maman lui avait donnée quand elle était petite, et elle aurait effacé ce qui venait de se passer.

* *

Dans la nuit du jeudi au vendredi, madame Dumayet avait fait un rêve que monsieur Saint-Yves trouverait significatif. Elle était dans sa classe, la chemise en carton devant elle, et elle disait à ses élèves : «Comme vous n'avez PAS été sages, je vais vous distribuer une tablette numérique», et elle les sortait, une à une, de sa chemise en carton au milieu des applaudissements. Elle s'éveilla en songeant : Au fond, c'est ça, la solution. Elle voyait bien que Damien, son petit-fils de 12 ans, passait sa vie sur des écrans. Il y faisait des recherches, y tapait ses exposés, postait des photos, écoutait de la musique, regardait des clips et des vidéos, recevait des nouvelles du monde entier, tout cela sans sortir de sa chambre. Elle avait l'air maligne avec ses photocopies de coloriages et les Kididoc de sa bibliothèque de classe. D'ailleurs, le bruit commençait à courir chez les CM1 que les coloriages (même de *Star Wars*), c'était bon pour les CP. Tout irait mieux si sa classe était connectée, si les élèves avaient chacun leur ordinateur, si le tableau noir était remplacé par un tableau numérique, et elle-même par un robot. Bref, ce vendredi matin, madame Dumayet eut beaucoup de mal à sortir de son lit.

— *À chaque jour suffit sa peine.* Alors, qui sait ce que ça veut dire ?

— C'est Ness... c'est Ness, bégaya le petit Jeannot.

— C'est Nes... Nestor ? chercha à deviner la maîtresse.

110

— C'est Nessbeal ! s'écria Jeannot, brusquement survolté.

Il se leva d'un bond et, se contorsionnant façon rappeur, le pouce et l'index de chaque main figurant un revolver, il se mit à scander sans le moindre bégaiement :

— *« Papa tape maman, mon cartable, ma tristesse*
Mon lit superposé, mes petits frères, ma jeunesse
À chaque jour suffit sa peine, à chaque jour... »
Jeannot avait un grand frère un peu caillera.

— Assieds-toi, Jeannot, assieds-toi ! dit la maîtresse sur un ton de gronderie tandis que toute la classe se tordait de rire.

Pour calmer les rangs des CM1, madame Dumayet fit mine de reprendre son coloriage de *Cars* à Paul, qui la supplia : « Pitié, non ! » sur un mode de légère dérision. Madame Dumayet frappa alors trois fois dans les mains, ce qui était l'ultime façon de rassembler les troupes.

— À chaque jour suffit sa peine, fit-elle en forçant la voix, ça veut dire qu'on a déjà assez de soucis dans une journée, cela ne vaut pas la peine de penser à celle du lendemain qui sera peut-être pire.

Silence consterné dans la classe. Même Nessbeal était moins déprimant.

Ce vendredi devait ramener Alex et Charlie dans le cabinet de consultation, si du moins elles n'étaient pas fâchées.

— Tiens, Élodie ? fit Sauveur, ouvrant la porte de la salle d'attente.

La petite dernière d'Alexandra était avec les deux femmes, fidèles au rendez-vous.

— C'est ma semaine, expliqua Alex, et je n'avais personne pour la garder.

Alexandra et son ex-compagnon se partageaient la garde des trois filles, mais quand elles étaient chez leur mère, les deux aînées se débrouillaient pour passer le week-end chez des copines. Élodie, qui avait désormais 6 ans, s'installa sur le divan, très à l'aise entre ses « deux mamans », comme elle les appelait.

— Tu te souviens de moi ? lui demanda Sauveur.

— Ben ouiii : c'est toi qui donnes les hamsters, fit-elle, comme s'il s'agissait de bonbons.

— À ce propos, comment va Cocotte ?

C'était le nom qu'Élodie avait choisi pour son hamster mâle.

— Il est mort, répondit-elle avec une mimique embêtée, du style : « c'est la vie ».

Sauveur jeta un regard surpris à Charlie, qui lui expliqua que le hamster était mort presque tout de suite.

— Malade ?

— Non. C'était un hamster très mignon, très facile à apprivoiser. Je le prenais dans ma main et j'ai voulu qu'Élodie le tienne dans la sienne. Mais je ne sais pas ce qui s'est passé…

— Tu le sais très bien, l'interrompit Alex. Élodie a pris peur quand elle a senti les petites griffes, elle a secoué la main… et le hamster est tombé.

Sauveur ne put retenir un « oh » désolé.

— C'est pas de ma faute, protesta Élodie.

— Non, admit Sauveur, mais c'est triste pour Cocotte.

Les deux jeunes femmes lui jetèrent un regard courroucé. Quel genre de thérapeute était-ce là ? On ne lui demandait pas de culpabiliser la petite ! Sauveur enchaîna donc en proposant de la pâte à modeler à Élodie, qui alla s'installer sur une table à l'écart. C'était là que les enfants dessinaient ou modelaient, en laissant traîner une oreille. Charlie prit la parole en premier.

— Alors, on a suivi votre suggestion, on a « mûri notre projet ». En discutant avec Alex, j'ai compris qu'elle avait eu son compte et que c'était plutôt mon tour.

— Votre tour de quoi ?

— Je suis plus jeune qu'Alex, j'ai pas de taf régulier, poursuivit Charlie en ignorant l'interruption. Mais ce qui n'est pas possible pour moi, c'est de coucher avec un mec.

Elle simula un frisson de dégoût, que Sauveur évita de prendre à titre personnel.

— En même temps, l'IAD m'est refusée, et une insémination à l'étranger, c'est trop cher, énuméra Charlie.

La conclusion aurait dû être qu'elle renonçait à faire un bébé, mais quelque chose dans le ton de Charlie indiquait que, plus les difficultés s'accumulaient, plus elle y voyait un défi à relever.

— Alors, on a pensé à l'insémination artisanale. Vous voyez ce que je veux dire ?

— Tout à fait.

Il avait baissé la voix, non parce que le sujet le déran-
geait, mais parce qu'il se demandait si Élodie devait être
mêlée à cette conversation. Or, il sentait qu'elle écoutait.

— Évidemment, vous êtes contre, triompha Charlie.

— Mais qu'est-ce que tu en sais ? s'insurgea Alexandra.
Tu ne lui laisses même pas le temps de réagir.

— Qu'est-ce que vous en pensez, vous, Alex ? lui
demanda Sauveur, car il avait l'impression qu'elle n'était
pas vraiment partie prenante du fameux «projet d'enfant».

— Moi, je trouve que c'est assez dangereux, dit-elle en
surveillant du coin de l'œil sa compagne, qui s'agitait déjà.
D'abord, il faut trouver quelqu'un de sain, je parle du...

Elle devint presque inaudible quand elle prononça le
mot donneur.

— Mm, mm, l'encouragea Sauveur.

— Je préférerais que ce soit quelqu'un qu'on connaisse,
poursuivit-elle. On serait sûres qu'il n'est pas malade, qu'il
n'est pas cinglé. Mais je connais pas tellement de monde
qui pourrait accepter de donner...

— Mm, mm.

— Parce que Nicolas, quand même...

Sauveur qui écoutait, tête baissée, l'air pensif, s'interdit
toute réaction. Alexandra avait donc envisagé de demander un don de sperme à son ex-compagnon. Lucie, Marion
et Élodie auraient un demi-frère ou une demi-sœur de
leur père, porté(e) par la jeune femme qui lui avait pris sa
compagne.

– J'ai fini ! lança la petite Élodie de l'autre bout de la pièce. Tu viens voir ce que j'ai fait, Sauveur ?

Il alla s'accroupir près de l'enfant et chercha à deviner ce que représentait le boudin qu'elle avait modelé.

– C'est un hamster, tu vois, avec les oreilles ? C'est pour toi, lui dit Élodie. T'as qu'à l'appeler Cocotte.

– Ça, c'est vraiment gentil. Merci. Qu'est-ce que tu pourrais faire d'autre ?

– Je vais lui faire une petite sœur, dit Élodie, piochant de nouveau dans la Play-Doh.

Dès que Sauveur revint s'asseoir en face des deux femmes, Charlie repartit sur le sentier de la guerre.

– Pourquoi vous êtes contre l'insémination artisanale ?

– Et si je vous disais que je suis pour, qu'est-ce qui se passerait ?

– Mais vous n'êtes pas pour, s'obstina Charlie.

– Vous avez besoin d'avoir en face de vous quelqu'un qui est contre. Mais être CONTRE quelqu'un qui est CONTRE, cela ne fait pas de vous quelqu'un qui est POUR, comme deux moins feraient un plus.

– J'ai fini ! s'écria de nouveau Élodie.

– Moi aussi, fit Charlie entre ses dents.

Elle se leva, désemparée. Élodie courut vers elle, lui tendant un boudin de Play-Doh vert pré.

– Regarde, c'est la petite sœur !

– Comment elle s'appelle ? demanda Charlie d'une voix que l'émotion étouffait.

– Tribouillette.

Et c'était tellement ça, tellement tribouillette, ce méli-mélo de désirs et de craintes, que les trois adultes se mirent à rire malgré eux. Charlie souleva la fillette du sol et la tint serrée contre elle. Puis elle voulut défier Sauveur du regard, mais elle rencontra tant d'amitié dans ses yeux qu'elle en rougit jusque dans le blanc des siens.

*
* *

Sauveur avait en commun avec ses jeunes patients d'avoir beaucoup de mal à se lever le matin, et avant 9 heures il avait la sensation de ramer à contre-courant. Mais, en plus, un samedi ! Il avait donc une tête de hamster mal réveillé lorsqu'il ouvrit la porte de la salle d'attente pour accueillir madame Dumayet.

– C'est peut-être un peu tôt, se culpabilisa-t-elle en l'apercevant.

– Non, non, c'est parfait. Entrez.

Dès qu'elle fut assise sur le divan, elle s'accusa de faire perdre son temps à monsieur Saint-Yves, de prendre la place de quelqu'un qui en aurait vraiment besoin, puisqu'elle-même n'avait pas de réel problème. Les enfants étaient un peu agités en ce moment, mais enfin, ce sont des enfants, et elle y était habituée. Elle dormait beaucoup mieux, elle n'avait plus de crises d'angoisse.

– En somme, vous êtes venue me dire que tout va bien, résuma Sauveur.

Madame Dumayet eut un rire embarrassé.

– Oui, cela peut paraître stupide… En fait, je crois que j'aimerais bien pouvoir me passer des anxiolytiques.

– Vous avez donc repris un traitement?

Elle acquiesça.

– Depuis…?

– La deuxième semaine de rentrée.

– D'accord. Et que s'est-il passé de particulier?

– Mais rien. Rien. C'est juste que… je n'y arrive plus.

Elle déballa tout. Ses angoisses de pédagogue au bout du rouleau, ce double niveau qu'elle ne gérait pas, ce «public» de plus en plus difficile à tenir…

– Même à tenir éveillé, monsieur Saint-Yves.

– Vous pouvez m'appeler Sauveur, Christine, lui dit-il gentiment, utilisant pour la première fois le prénom de madame Dumayet.

Elle était tellement à fleur de peau que ses yeux se brouillèrent de larmes devant cette seule petite marque de bienveillance.

– J'ai une élève du cours préparatoire qui s'endort tous les soirs en regardant la télévision… J'ai fait mon enquête, monsieur… Sauveur, je leur ai posé des questions. Beaucoup ont la télé dans leur chambre, et ils voient toutes sortes d'horreurs, ils ont déjà un téléphone portable, un ordinateur à eux ou une tablette, ils vont sur les réseaux sociaux! Ils manquent de sommeil, ils bâillent, ils ont des cernes, alors qu'on vient juste de commencer l'année. Qu'est-ce que cela va donner cet hiver? Je ne sais plus quoi inventer pour les motiver.

— Les coloriages, fit Sauveur avec un demi-sourire.

— Oh, je sais, c'est démodé, mais…

— Mais pas du tout. C'est épatant. Mon fils adore. Il y a aussi les découpages, les gommettes, les décalcomanies, les papiers de couleurs. On a besoin de faire sortir des choses de ses mains. Cela donne confiance en soi.

— Mais je me sens tellement vieux jeu, soupira madame Dumayet. Je vois bien qu'ils me regardent comme une mamie.

— Cela doit leur faire beaucoup de bien.

Madame Dumayet secoua la tête.

— Je ne sais pas, vraiment, je ne sais plus. J'ai une collègue, beaucoup plus jeune, dans une école de banlieue chic, sa classe est connectée. Ce sont des cours élémentaires, ils ont toute une rangée d'ordinateurs à leur disposition, ils se bousculent pour y travailler, ils ont des logiciels de je ne sais quoi. Je n'y connais rien…

Elle soupira de nouveau.

— Vous avez entendu parler de Steve Jobs? lui demanda Sauveur.

— Ça me dit quelque chose. C'est un acteur, non?

— C'était le PDG d'Apple. Il a expliqué dans une interview à un journaliste du *New York Times* qu'il n'autorisait ses enfants qu'à trente minutes d'ordinateur par jour, et rien du tout le week-end. Et un des fondateurs de Twitter, Evan Williams, interdit les tablettes à ses enfants et les encourage à lire des livres, pas des livres numériques, des livres imprimés. Et surtout, dit-il, JAMAIS d'écran dans une chambre à coucher!

Madame Dumayet marmonna:

– Ah oui? Ah, tout de même...

– Continuez de faire colorier, dessiner, chanter. Prévoyez des exercices de respiration, faites la lecture à voix haute, envoyez vos élèves dans votre coin bibliothèque lire vos vieux Kididoc sur les pirates. Ne vous souciez pas d'être à la mode, Christine, vous êtes dans le vrai.

Il y eut un long temps de silence. Madame Dumayet appuyait la pulpe de ses doigts le long des arcades sourcilières pour en déloger la migraine.

– Vous n'êtes pas Superman. Mais vous êtes une super maîtresse d'école en des temps difficiles, ajouta Sauveur en se levant.

Il écourta la séance, car il ne voulait pas prendre le risque que madame Haddad croise sur son palier l'institutrice de sa fille. Aller chez un psychologue n'est pas tout à fait la même chose que se rendre chez le dentiste.

Dix minutes plus tard, Sauveur entendit toquer à la porte, mais personne n'entra. Après avoir tendu l'oreille, il supposa que madame Haddad ne comprenait pas l'invite de l'écriteau: «Frapper et entrer».

– *Please, do come in*, dit-il à la jeune femme qui tenait une petite fille par la main.

Dès qu'elle l'aperçut, Raja se cacha derrière sa maman en criant plusieurs fois la même chose sur un ton de panique. Sauveur se douta que l'enfant n'entrerait pas tant qu'il se tiendrait dans l'embrasure de la porte, et il fit signe à la maman qu'il se retirait à l'intérieur. Il retourna dans son cabinet en laissant les portes grandes ouvertes et s'assit pour que sa grande taille n'impressionne plus l'enfant. Cinq minutes s'écoulèrent avant que madame Haddad le rejoignît, portant la petite dans ses bras. Il lui désigna le canapé et les laissa s'installer, Raja, la tête blottie dans le cou de sa mère. Un peu plus que timide, songea Sauveur.

— *Did I surprise her ?*

— *Yes, you did.*

Madame Haddad étouffait sous le poids de la fillette, cramponnée à elle. Sauveur lui demanda de traduire ce que l'enfant avait crié en le voyant.

— *Men in black.*

Sauveur resta un peu perplexe. Ressemblait-il à ce point à Will Smith ?

— *Terrorists*, précisa madame Haddad, *in Mossoul*.

Sauveur hocha la tête. L'enfant avait dû associer ce grand monsieur noir à un djihadiste cagoulé, ce qui n'était pas forcément un bon début pour une psychothérapie. Alors, Sauveur se dit qu'il y avait une chose que ne faisaient pas les terroristes et qu'il pouvait faire, lui. Il se mit à chanter de cette voix de basse qui berçait les chagrins de son fils, quand il était tout petit :

— *Prendre un enfant par le cœur*
Pour soulager ses malheurs

Tout doucement sans parler sans pudeur
Prendre un enfant sur son cœur.

Raja lui jeta un regard de côté, et il sut qu'elle réagissait au français, qu'en tout cas elle saisissait les mots-clés. Enfant. Malheur. Parler. Cœur. Donc, il lui parla français. Il lui expliqua qu'il était un docteur, un docteur pour le cœur, un docteur qui soignait les enfants qui ont eu des malheurs, et qu'avec lui, le docteur Sauveur, on pouvait parler, mais aussi jouer, chanter, dessiner. Il alla vers la petite table et remua crayons, papiers, pots de pâte à modeler, il sortit des animaux de plastique d'une boîte et des bonshommes Playmobil d'une autre. Madame Haddad chuchota à l'oreille de sa fille jusqu'à ce qu'elle acceptât de se décramponner, puis de s'asseoir contre elle sur le canapé, le visage encore à demi caché.

— *Would you tell me what happened to you in Mossoul ?** demanda Sauveur.

Libérant enfin ses émotions dans un lieu où elle se sentait en sécurité, la jeune femme lui raconta tout ce qu'elle avait tu à Louise, le jour où elle était venue l'interviewer. La terreur dans la ville, son frère Hilal, un adolescent de 15 ans, égorgé en pleine rue, la fuite dans le break, les hommes qui les avaient arrêtés et sortis de force de la voiture, le violon de son mari qu'ils avaient fracassé contre une pierre, car la musique est impie, les bijoux

* Voulez-vous me raconter ce qui vous est arrivé à Mossoul ?

qu'ils avaient arrachés à ses mains, à son cou, la peur qu'elle avait eue d'être violée. Elle tremblait, elle pleurait, et Raja l'écoutait parler dans cette langue anglaise qu'elle n'avait jamais apprise, mais qu'elle comprenait en cet instant.

— Tu as eu très peur, Raja, lui dit Sauveur. Ta maman, ton papa n'ont rien fait de mal, et Hilal était très gentil. Mais ces hommes avec des armes, ils étaient très méchants. Terroristes, tu comprends?

L'enfant sembla vouloir s'enfoncer dans le flanc de sa maman, retourner dans son ventre, peut-être. Timide? Non. Traumatisée. Et Sauveur, qui n'avait jamais croisé ce genre de cas, n'était pas sûr de pouvoir l'aider. Il le dit à madame Haddad en toute simplicité, promit de se renseigner, de chercher un spécialiste. Mais tandis qu'il parlait, Raja, se détachant de sa maman, tourna la tête vers le fond de la pièce. Madame Gustavia, que tout ce bruit avait réveillée, trottinait à la recherche de nourriture. Sauveur suivit le regard de l'enfant et il alla prendre la cage pour la poser sur le canapé. Madame Gustavia grattait la paille à la recherche d'une de ses caches de nourriture. Elle tomba en arrêt devant un gros morceau de carotte et elle s'en empiffra, faisant gonfler ses abajoues de la façon la plus extraordinairement comique. Raja produisit alors ce son inattendu, pour elle comme pour sa maman : elle éclata de rire. Hamstérothérapie!

Après le départ de madame Haddad et de sa fille, Sauveur eut cette sensation familière, quand sa semaine avait été dense, que la terre continuait de tourner autour de lui. Il fut tenté de se recoucher pour mettre un terme à cet étourdissement. Puis il lui vint une autre idée…

Rue de la Lionne, Louise était seule, le cutter à la main, décidée à en finir avec son déménagement. Elle fermait les dernières caisses en carton avec du gros ruban adhésif, qu'elle devait trancher. C'était incroyable tout ce qu'elle avait pu accumuler au fil des années d'objets inutiles, de livres et de fourchettes. La cave avait été un cauchemar de tricycles rouillés, de Barbie dépenaillées, de soucoupes sans tasse et de cadeaux de fête des mères à-ne-surtout-pas-jeter.

À 10 heures, ce samedi, les enfants étant partis chez leur père, Louise avait laissé tomber la façade. Sans maquillage, les cheveux attachés par une grosse pince, une chemise façon grand-père descendant sur un legging, et de vieilles espadrilles aux pieds, elle aurait eu honte que quiconque la voie ainsi. Et pourtant, on sonna à la porte d'entrée. Son ex-mari avait-il oublié quelque chose ? Ou la factrice lui apportait-elle un recommandé ?

— Oooh, fit-elle, navrée, en apercevant Sauveur sur son palier.

— Je dérange ? dit Sauveur, inquiet à l'idée de découvrir que Louise menait une double vie.

Sans répondre, elle passa derrière son oreille une mèche de cheveux qui lui balayait la joue, puis regarda ses mains sales et écorchées.

— Excuse-moi, je ne suis pas très présentable.

– Non, c'est vrai. Mais tu es sexy…

– Tu… tu veux entrer prendre une tasse de thé ? bredouilla-t-elle, désarmée.

– Je n'aime pas le thé.

– Ce n'est pas grave, je n'en ai pas.

❖ ❖ ❖ *Espace réservé à la VP* ❖ ❖ ❖

Semaine du 21 au 27 septembre 2015

Pendant la semaine écoulée, Ella avait parfois désiré ce moment, et à présent qu'elle était dans la salle d'attente de monsieur Saint-Yves, elle n'avait plus qu'une envie, fuir. Jamais elle n'aurait le courage de raconter à Sauveur ce qui s'était passé et de revivre les émotions qui l'avaient bouleversée.

Tout avait commencé le mardi, jour du cours de latin avec madame Nozière, mais aussi jour où Ella croisait la route des cinq filles de la 4e C, Marine, Alice, Selma, Mélaine et Hannah. Remontée à bloc par sa séance de la veille avec son psy, Ella se disait qu'elle n'avait pas peur d'elles, qu'elle pouvait ignorer leurs « Pas carré, Pas carré » martelés dans son dos, et leurs cuicuis sifflotés sur sa route parce qu'elle s'appelait Kuypens. C'était bête, cruel, mais surtout puéril. « Ça ne m'empêchera pas de grandir » était devenu le mantra d'Ella. Elle s'était fait un programme sportif pour devenir costaud, des pompes, des haltères, le trajet en courant jusqu'au collège, et tout un programme de lectures pour devenir écrivain. Un écrivain aventurier comme Jack London, dont elle avait lu la bio sur Wikipédia. Elle aimait à la folie ce sac marin, bleu et blanc, qu'elle portait à l'épaule. Quand elle marchait à grands pas et qu'il lui battait la jambe, elle se racontait qu'elle partait vers le port, où l'attendait une goélette. Elliot Kuypens, passager clandestin, chasseur de phoques, pilleur d'épaves, photographe de guerre, explorateur chez les Inuits, chercheur d'or au Klondike. Non, elle ne dirait plus rien de ses rêves à personne. Sauf à son cahier. Sauf à Sauveur. Lui qui avait passé un pacte avec elle en acceptant de l'appeler Elliot. Lui qui lui avait dit : « Tu es quelqu'un de spécial, quelqu'un de différent. »

Donc, le mardi, elle était entrée en classe pour sa dernière heure de cours, et la prof de latin l'avait interpellée :

– Alors, ce roman, ça avance ?

Devant tout le monde ! Elle l'avait affichée ! Ella avait marmonné « oui, ça… » en rougissant comme une écrevisse, tandis qu'on ricanait dans son dos. Puis madame Nozière avait rendu des copies, et Ella s'était crue tirée d'affaire.

Mais elle avait un autre problème, cette fois dans sa propre classe de 4ᵉ A. C'était un problème à lunettes et appareil dentaire, qui s'appelait Jimmy. Du fait qu'elle l'avait accepté comme ami Facebook, il lui envoyait un tas de messages sur son mur, toujours à propos de *Call of Duty*, du type *jaten tro black ops 3, sa sor le 6 nov.* Elle l'aurait bien supprimé de ses contacts, mais elle avait peur de sa réaction. Le matin, quand il s'approchait d'elle et lui faisait la bise comme s'ils étaient VRAIMENT amis, elle s'arrêtait de respirer. Elle lui trouvait une odeur fade, pharmaceutique, qui résultait peut-être d'un traitement contre l'acné. Elle se recroquevillait dès qu'elle le voyait, qu'il lui parlait, qu'il… ah, quelle horreur! qu'il la touchait. Elle ne comprenait pas la violence de ses émotions. Peut-être était-ce anormal de sa part? Il faudrait qu'elle en parle à Sauveur. Donc, le jeudi après-midi, comme elle rentrait chez elle, elle s'était entendu appeler dans la rue. C'était Jimmy qui accourait, alors qu'il partait habituellement dans la direction opposée.

– Quoi? fit-elle sur un ton brusque, n'ayant pas l'intention d'être vue dans la rue en sa compagnie.

– Tu connais les filles de la 4ᵉ C? La bande à Marine…

Ella fronça les sourcils en remontant la sangle de son sac sur l'épaule dans un geste qu'elle jugeait viril.

– Elles t'ont piqué un truc, dit-il en désignant précisément le sac marin. Un cahier.

– Hein? C'est pas…

Elle allait dire: «pas possible». Mais le plus simple, c'était de vérifier. Elle ouvrit son sac. C'était un gros foutoir à l'intérieur, comme elle le disait elle-même. Elle vit tout de même très vite que son roman avait disparu.

– Putain, fit-elle tandis qu'un feu se propageait de son cœur à ses joues. Comment elles ont fait?

Elles avaient dû agir à la cantine quand Ella avait laissé son sac accroché au dossier de sa chaise pour aller remplir une carafe d'eau. Elle se tourna furieuse vers Jimmy.

– Comment tu sais, toi?

— Parce que je les ai vues dans la cour. Marine disait que tu avais écrit un roman culte et elle demandait qui en voulait une feuille. Elle les distribuait à des gens de sa classe. Je… Je t'en ai récupéré une feuille.

Il lui tendit une page du cahier avec l'air de quelqu'un qui s'attend à être remercié.

— Mais j'en veux pas, fit Ella en reculant de dégoût.

Son cahier dépecé, souillé, violé. Elle tourna le dos à Jimmy et partit en courant vers son arrêt de bus. Une fraction de seconde, elle eut envie de se faire écraser. Et puis non. *Ça ne m'empêchera pas de grandir.*

Assise dans le bus, le sac serré contre sa poitrine, elle s'interdit de pleurer en public. Mais dès qu'elle fut dans sa chambre, elle s'aplatit sur son lit, le visage enfoncé dans l'oreiller. Mais pourquoi? gémit-elle. Qu'est-ce qu'elle avait fait? Qu'est-ce qu'on lui voulait? Elle sentait chez ces filles le désir de la mettre à nu. Pourquoi? Parce qu'elle était quelqu'un de spécial, quelqu'un de différent. Mais alors, c'était un crime?

Dans la salle d'attente, Ella était en train de revivre ce qui lui était arrivé. Ce serait trop douloureux d'en parler en thérapie. Comme elle s'apprêtait à s'en aller, la porte s'ouvrit. Trop tard, c'était lui.

— Ella?

Elle le regarda sans bouger de sa chaise. Tout le sang s'était retiré de son visage.

— Elliot?

Il eut juste le temps de la rattraper tandis qu'elle s'évanouissait. Sa perte de conscience ne dura qu'un instant. Elle était déjà revenue à elle tandis que Sauveur lui tapotait encore les joues. Il l'aida à se redresser, alla chercher un verre d'eau, un sucre, et le tensiomètre qu'il gardait dans sa pharmacie.

— 8/6. Petite tension, dit-il.

— C'est grave ?

— Non. Mais on va appeler tes parents pour que tu sois raccompagnée. Papa ou maman ?

Elle secoua la tête. Elle ne voulait ni de l'un ni de l'autre. Ils allaient faire des histoires.

— Maman va encore dire que je ne mange pas assez, bougonna-t-elle.

Un peu de couleur lui était revenu aux joues. Sauveur s'assit en face d'elle.

— Ça allait, cette semaine ?

— Oui, fit-elle, le ton dégagé.

— Tu as écrit ?

Un sanglot lui monta de la poitrine qu'elle tenta de transformer en une profonde inspiration. Mais elle ne put parler.

— Qu'est-ce qui ne va pas ?

— C'est rien, dit-elle, desserrant à peine les mâchoires. Juste ces connes… Ces…

Un mot de plus serait un mot de trop.

— Va jusqu'au bout, Ella. Tu es en sécurité.

Elle secoua la tête, toujours plus farouche. Non. Non. Puis son chagrin creva à l'air libre.

— Mais pou-ou-rquoi? sanglota-t-elle.

Dix minutes plus tard, le silence revint dans le cabinet de consultation.

— Tu ne veux pas que tes parents soient mis au courant?

— Des histoires de cahier. Qu'est-ce qu'ils y comprendront?

Elle rendit à Sauveur la boîte de mouchoirs qu'il lui avait tendue.

— Désolée. Je l'ai vidée.

Elle n'avait pas l'intention de s'apitoyer davantage.

— Tu me promets de me tenir au courant, moi? lui demanda Sauveur, à la fois inquiet et respectueux.

— Vous voulez dire : si elles recommencent?

— Mm, mm.

— Je cacherai mieux ce que je suis, vous en faites pas.

La séance étant terminée, elle se leva. Elle se mit en équilibre sur un pied pour prouver à Sauveur qu'elle ne souffrait plus d'étourdissement et elle ajusta le sac à l'épaule. En route!

Par un curieux effet de symétrie, ce fut le tour de Sauveur, ce même lundi à l'heure du dîner, de se trouver dans une salle d'attente tout en désirant ne pas y être. Trois fois par an, Sauveur se rendait dans la ville voisine de Cléry-Saint-André, où vivait Clotilde Dubuis, psychiatre-psychanalyste. C'était, comme il l'avait expliqué à Lazare, «la psy des psys», qu'on pouvait aussi appeler une «contrôleuse».

Clotilde Dubuis, qui avait dépassé la soixantaine, vivait

avec sa très vieille mère dans une maison sinistre, que le bruit du balancier d'une horloge comtoise emplissait tout entière. Sauveur attendait dans la pénombre sans penser à tirer sur le cordon qui commandait l'éclairage du lampadaire, à côté de son fauteuil.

— Monsieur Saint-Yves, fit une voix inexpressive.

Sauveur faillit répondre : « Présent ! », mais se rattrapa :

— Bonsoir, madame Dubuis. Vous allez bien ?

— Je vous remercie, fit-elle, comme si choisir entre oui ou non était compromettant.

En entrant dans le cabinet de la psychanalyste, Sauveur jeta un regard de biais sur le divan, où on pouvait s'allonger. Mais il s'assit dans le fauteuil en face de madame Dubuis, toute fluette, et même squelettique, dans son tailleur-pantalon.

Tic, tac, tic, tac. Dix secondes s'écoulèrent, à peu près aussi longues que dix minutes.

— Rmmalors ? dit-elle, en se raclant la gorge.

Sauveur avait prévu d'évoquer les cas les plus délicats qu'il avait à traiter, la petite Raja, traumatisée de guerre, ou bien Charlie et ses projets d'insémination, bricolée maison avec une pipette de Primpéran. Mais il avait la tête pleine d'Ella et il parla donc d'Ella.

— Je ne sais pas si Ella veut faire plaisir à ses parents en remplaçant son petit frère mort in utero. Ce que je sais, c'est qu'elle m'a demandé de l'appeler Elliot pendant les séances et... que je suis entré dans son fantasme...

— Mpff, désapprouva madame Dubuis.

– Oui, c'est une erreur… Et j'ai aussi cette patiente antillaise atteinte de tocs de propreté, dit-il, changeant vite de sujet. Je l'ai revue ce matin, j'ai démarré une TCC* avec elle.

– Monff, fit madame Dubuis, ce qui pouvait s'interpréter par : « Faites-le si vous ne trouvez rien de mieux. »

– En même temps, s'empressa d'ajouter Sauveur, je sais bien que, si je guéris un symptôme, il peut se déplacer, et qu'à la place de se laver les mains vingt fois par jour, ma patiente s'arrachera les cheveux…

Sauveur passa ensuite à Pénélope Motin, dont il ne pensait pas qu'elle fût authentiquement mythomane, ou alors elle manquait vraiment de talent pour mentir. Il avait eu l'impression qu'elle jouait à la dame lors de la première séance, et à la maman pendant la deuxième. Elle s'était décommandée pour la troisième séance, qui aurait dû avoir lieu ce jour même.

– Rmmfairepayer…

– Oui, oui, je fais payer les séances où on ne vient pas sans raison valable, mentit Sauveur.

Puis il fut question de Gabin, parce que Sauveur avait reçu un appel du proviseur de son lycée, lui signalant que le garçon « avait disparu des écrans radar ». En clair, il n'allait plus en cours depuis qu'il s'était installé chez Sauveur.

---

* TCC ou thérapie comportementale et cognitive. Elle consiste en une série d'exercices pratiques à réaliser par le patient pour l'aider à surmonter progressivement ses craintes, du type s'obliger à toucher une poignée de porte sans mettre de gants…

– Rmmffuffu ?! s'étouffa madame Dubuis.

– Vous avez raison : je n'avais pas à le prendre en charge, reconnut Sauveur, mécontent de lui-même. J'aurais dû alerter les services sociaux. Mais je pensais que je pouvais l'héberger pour deux ou trois jours... Seulement, la situation de sa mère ne s'arrange pas. Elle ne sortira pas de Fleury avant plusieurs semaines... Il va falloir... Je vais avoir une explication avec Gabin.

Restait la délicate question de la hamstérothérapie.

– Je me demande si je dois proposer la prochaine portée de hamsters à mes petits patients. Ils ont un impact très positif sur eux.

– Grmff.

La réponse semblait pencher du côté du non.

– Je devrais plutôt leur donner des hamsters imaginaires, c'est ça ? fit Sauveur, de plus en plus naufragé. Ce qui compte, c'est le hamster en tant que concept, pas en tant que rongeur.

Tic, tac, tic, tac. Dong, dong, dong, etc.

– On va s'arrêter là, dit madame Dubuis.

Sauvé par la comtoise !

– Vous avez pensé à faire l'appoint ? Parce que je n'ai pas de monnaie.

– Oui, oui, fit Sauveur en posant 85 euros en pièces et billets sur le bureau.

Il sortit de chez sa contrôleuse avec la sensation d'avoir été roué de coups, puis dévalisé.

Gabin avait déjà intégré son grenier quand Sauveur fut

de retour rue des Murlins. Cela permettait de reporter l'explication au lendemain. Lazare était au lit, en train de lire *Le Cosmoschtroumpf* (proche parent de madame Dubuimpf).

— Oh, papa, regarde ce qu'on a fait pour les hamsters, Paul et moi!

Il tendit à son père une affichette indiquant qu'on pouvait réclamer de RAVISSANTS hamsters au docteur, mâle ou femelle au choix, le tout agrémenté de dessins de madame Gustavia, Bidule et Sauvé dans leur habitat.

— C'est beau, hein, papa? Tu vas l'afficher dans ta salle d'attente? Mais fais attention, tu le froisses!

De fait, Sauveur était en train de chiffonner le papier qu'il devrait jeter à la poubelle.

— Oups, pardon, pardon, fit-il en lissant la feuille du plat de la main.

Il alla se mettre au lit avec son nouveau livre: *Comment choisir son psy.*

*
* *

Dans la nuit du lundi au mardi, alors qu'elle était sous le toit de son père, Alice avait fait un rêve où Enjoy Yourself l'emmenait à Paris pour un shooting mode de ouf. «Tu es trooop belle», lui disait-elle. Mais au moment où Alice enfilait un sweat par la tête, Enjoy s'écriait:

— Tu vas mettre du fond de teint dessus!

Et d'ajouter en gloussant:

– Passe-toi au cirage, pendant que tu y es !

Alice y repensait ce matin et, confondant un peu le rêve et la réalité, elle se dit : « Quelle grosse truie, cette fille ! » Elle appuya le bout du doigt sur le bouton rouge et brûlant qui s'épanouissait près de ses lèvres. Le truc du dentifrice ne marchait pas et lui avait valu cette réflexion de son petit frère qu'elle sentait le chewing-gum. Comme elle se préparait à étaler le fond de teint couvrant, des larmes lui picotèrent les yeux. À quoi bon ? La veille, Marine l'avait accueillie d'un :

– Tu y vas à la louche, toi, pour le fond de teint !

Cela lui remémora un incident qui s'était passé le jeudi précédent. Elle ouvrit son sac cabas Vanessa Bruno, sa fierté de l'année passée, et en extirpa une feuille un peu tirebouchonnée. On y lisait les mots Sans-Nom, colchique, couteau magique. Le malaise envahit Alice tandis qu'elle revivait la scène dans la cour de récréation.

– On a découvert le manuscrit du roman culte de la célèbre Ella Kuypens, criait Marine, agitant le cahier. Qui en veut une feuille ? Il n'y en aura pas pour tout le monde !

Elle était déchaînée, arrachant les pages, les mettant de force dans les mains des autres, qui riaient avec plus ou moins de conviction. Alice avait crié avec Mélaine, Selma et Hannah :

– Moi, moi ! Passe une feuille, passe !

Alice savait maintenant que Marine l'avait rendue complice de sa propre mauvaise action, et la feuille lui brûlait la main. On y lisait les mots poison, vénéneux, mortel. Elle en fit une boule, qu'elle jeta dans sa corbeille à papier.

On était mardi, et Alice devait retrouver Ella en cours de latin. Alice n'avait pas de sympathie pour cette fille qu'elle traitait de « bolosse ». Mais elle ne voyait pas non plus pourquoi les autres s'acharnaient sur elle. S'il lui était arrivé de chuchoter « Pas carré, Pas carré » dans son dos, c'était pour faire comme le reste de la bande, et peut-être pour détourner d'elle les moqueries cinglantes de Marine. Elle porta de nouveau la main à ses lèvres. Ce bouton, putain ! Ella Kuypens n'avait pas de boutons. Elle avait une peau de bébé, que les autres s'amusaient à faire rougir en la tourmentant.

À quelques blocs de maisons, Ella préparait son sac pour la journée. Le nouveau cahier qu'elle avait acheté resterait désormais dans sa chambre. Elle avait commencé une autre histoire, dont le héros s'appelait Jack. À 15 ans, le garçon s'enfuyait de chez ses parents, qui le maltraitaient, emportant toute sa richesse dans un sac marin, son couteau, sa boussole, une chemise de rechange, un bonnet, un morceau de pain et quelques pièces. Il avait l'intention de faire le tour du monde sans rien posséder de plus. Ella ne savait pas où et quand se passait cette histoire. Jack vivait peut-être dans un univers parallèle, un peu comme elle en y réfléchissant. Sur la première page du cahier, Elliot Kuypens avait écrit le titre de son roman : *Le sac de Jack.*

Le mardi était devenu la hantise d'Ella à cause de la dernière heure de cours. Quand elle entra dans la classe de madame Nozière, elle sentit sur elle le regard des cinq filles de la 4e C. Peut-être pensaient-elles qu'elle allait les dénoncer ? Sa crainte à elle, c'était d'être de nouveau interpellée à propos de son roman, mais madame Nozière, qui avait noté sa gêne le mardi précédent, se contenta de lui sourire. Ella baissa vivement la tête pour cacher sa rougeur et fut très soulagée quand elle se retrouva dans la rue sans qu'il ne se soit rien passé. Les filles de la 4e C lui avaient sans doute fait tout le mal qui était en leur pouvoir. Ella s'assit dans le bus, songeant à Jack, écrivant déjà dans sa tête les phrases qu'elle poserait dans son cahier dès qu'elle serait chez elle. Soudain, son regard tomba sur sa main droite. Une tache d'encre noire s'y étalait. Elle en eut le cœur saisi, s'imaginant qu'une veine s'était ouverte et qu'elle saignait de l'encre ! Mais elle comprit aussitôt que la tache provenait du sac marin posé sur ses genoux, et elle s'arrêta de respirer.

— Mademoiselle ! Mademoiselle !

C'était sa voisine de bus, sur laquelle elle s'était effondrée, qui la secouait pour la faire revenir à elle.

— Ça va, ça va, balbutia-t-elle. Ça m'arrive de temps en temps.

— Oui, eh bien, parlez-en à votre docteur, fit la dame, un peu contrariée.

En parler à mon docteur, en parler à mon docteur, se répéta Ella. Sauveur lui avait dit d'appeler si elles recommençaient. Pendant le cours de latin, l'une d'entre elles avait réussi à se glisser dans son dos et à renverser de l'encre sur la bande blanche de son sac. Elles savaient d'instinct ce à quoi elle tenait, ce qui pouvait l'atteindre. Ce n'était pas sa mise à nu qu'elles voulaient, c'était sa mise à mort.

C'était aussi mardi pour Samuel qui était à la bourre pour son rendez-vous chez le psy.

— Minou, je t'ai préparé ton chocolat! cria une voix, venue de la cuisine.

— J'aime pas le lait! gueula Samuel du fond de sa chambre.

— C'est nouveau, ça!

La scène s'était pourtant déjà répétée vingt fois, comme c'est l'usage dans les vieux couples. S'ensuivit tout un couplet de la part de madame Cahen, maman de Samuel, sur les bienfaits du calcium, et la nécessité de prendre un bon petit déjeuner, et l'hygiène alimentaire. Dans sa chambre, Samuel grinçait, gni, gni, gni, gna, gna, gna.

— Bon, je te l'apporte, mais c'est la dernière fois, fit sa mère, entrant brusquement dans sa chambre, le plateau du petit déjeuner à la main.

— Mais putain, je t'ai dit non.

Ce fut un nouveau couplet sur les mots grossiers et le respect qu'on doit à sa mère, et comment ça se faisait que le docteur n'avait pas réussi à changer son comportement, et il devait aérer sa chambre, ce n'était pas possible cette odeur. Elle avait posé le plateau en équilibre sur une pile de livres et, tout en parlant, elle ramassait des vêtements à terre.

— Mais arrête, arrête ! glapit Samuel. Laisse tout ça !

— Au moins, bois ton chocolat si tu ne manges pas tes tartines, dit-elle, comme si elle ne remarquait pas l'état d'hystérie dans lequel elle mettait son fils.

Elle s'était placée devant la porte, barrant le passage, alors qu'il était déjà en retard. Il attrapa son sac à dos et renversa le chocolat au passage.

— Mais tu as vu ce que tu as fait ? triompha sa mère. Tes livres de classe ! Ce désastre !

La rage le saisit. Il la poussa contre la porte. Comme elle avait les mains encombrées de vêtements, elle se cogna lourdement sans pouvoir se rattraper, et Samuel, s'échappant dans le couloir, l'entendit crier qu'elle saignait, qu'il lui avait ouvert le front, qu'elle allait appeler SOS femmes battues, qu'il était bien comme son père... Samuel partit en courant dans les rues, hagard, éperdu, et balbutiant comme un petit enfant : « Maman, maman. »

Quand Sauveur ouvrit la porte de la salle d'attente, il ne vit pas tout de suite Samuel, car il s'était blotti contre les doubles rideaux.

— Samuel ? Qu'est-ce qui t'arrive ?

— Maman...

— Oui ?

— Elle est tombée sur la tranche.

— Sur la tronche ? se méprit Sauveur.

— Non, non ! cria Samuel, paniqué. La tranche… de la porte, le truc, l'angle ! Je l'ai poussée !

— Elle est blessée ?

— Oui, elle saigne.

Il parlait au présent comme si le sang n'avait pas cessé de s'écouler. Sauveur le prit par les épaules pour le faire entrer dans le cabinet de consultation, puis il décrocha son téléphone.

— Madame Cahen ? Oui, monsieur Saint-Yves. Votre fils est là. Comment allez-vous ?… Mm… Mm… D'accord.

Il convint avec elle d'un rendez-vous avant de raccrocher, puis il se tourna vers le jeune homme.

— Elle a une grosse bosse.

Il vint s'asseoir en face de Samuel qui ricana, conscient de s'être ridiculisé.

— Je n'ai pas trop compris ce que m'a dit ta mère. Tu aurais délibérément arrosé de chocolat chaud tes bouquins de classe ?

Samuel regarda son psy, béant de stupeur.

— Mais non, mais pas comme ça, bredouilla-t-il. C'est elle !

— … qui a arrosé tes livres de chocolat chaud ?

— Elle a fait exprès de mettre un bol en équilibre.

— Exprès ?

— Je sais, ça fait le truc pervers. Mais avec elle…

Il secoua la tête. Sa mère l'embrouillait. Elle avait l'air de se dévouer, de ne penser qu'à lui, mais elle le poussait à bout. Quand il l'insultait ou qu'il la bousculait, l'instant d'après, la culpabilité, fondant sur lui, en faisait une brute psychopathe.

— Si tu pouvais parler calmement à ta mère, qu'est-ce que tu lui dirais ? lui demanda Sauveur.

— Hein ?… Ben…

Il prit un vrai temps de réflexion.

— Je lui dirais : Maman, je n'ai plus 8 ans. Je ne m'appelle plus Minou. Je ne peux plus te réchauffer dans ton lit parce que tu as les pieds gelés, je n'ai pas envie de passer toutes mes soirées et tous mes week-ends à la maison. J'étouffe ! Tu m'étouffes.

L'odeur qu'il dégage, se dit Sauveur, c'est une barrière sanitaire à l'envers pour repousser sa mère.

— Comment on pourrait améliorer la situation ? s'interrogea-t-il à haute voix.

— Je croyais que c'était votre job, ça, remarqua Samuel, un peu sarcastique.

— Il faut que les gens aient envie de changer pour que les choses changent.

— Alors, avec elle, vous partez battu. Elle pense qu'elle est une bonne mère et que je suis un mauvais fils, et elle m'a forcé à venir ici pour que, abracadabra, vous me transformiez en gentil fils qui boit son chocolat.

Sauveur admit in petto que c'était un assez bon résumé de la situation.

— On va se voir tous les trois mardi prochain. Ce serait bien que tu réfléchisses à des propositions concrètes pour améliorer votre relation.

141

— Mais moi, je vois rien, se cabra Samuel. Ah, si ! L'internat.

— L'internat ?

— Ça, ça serait cool. J'ai des potes à Guy-Môquet qui sont internes pendant la semaine, et le week-end, ils rentrent chez eux.

— C'est une excellente suggestion.

Ils savaient l'un comme l'autre que madame Cahen ne lâcherait pas prise.

— Sinon… les filles ? questionna Sauveur, puisque c'était le sujet de prédilection du garçon.

Samuel haussa une épaule et prononça cette phrase comme une évidence :

— Si une fille m'aimait, elle la tuerait.

Il était un petit garçon perdu dans une forêt, et sa mère, c'était l'ogresse.

— À mardi prochain, Samuel.

Sauveur se prenait à espérer qu'il existait bien un monde parallèle à celui-ci, semblable en apparence, mais où madame Cahen se réjouissait que son fils tombe amoureux, où les filles du cours de latin s'entraidaient au lieu de nuire à Ella, et où Gabin s'établissait une fois pour toutes rue des Murlins. Et pourtant, il doit s'en aller, se dit Sauveur en montant l'escalier du grenier.

— What ? sursauta Gabin en arrachant ses oreillettes.

Sauveur venait de surgir au pied de son lit.

— Tu es bien installé, remarqua-t-il, étonné par cette chambre à coucher improvisée. Qu'est-ce que tu écoutes ?

— Les Eagles of Death Metal. Ils vont passer à Paris. J'ai un copain qui peut m'avoir un billet.

— Tu as un copain ? releva Sauveur, pour qui le jeune homme était aussi désocialisé que déscolarisé.

— Nan, pas un vrai copain, répliqua Gabin sur le ton de quelqu'un qui veut vous rassurer. C'est un loup-garou.

Sauveur s'assit dans le fauteuil club rafistolé, après l'avoir testé.

— Tu ne vas plus en cours ?

Ce n'était pas une question. D'ailleurs, Sauveur enchaîna :

— Qu'est-ce que tu fais de tes journées ?

— De la décorporation transcendantale. Je sens que je suis le prochain dalaï-lama.

Sauveur se frotta les yeux, que la poussière irritait déjà.

— Ça ne va pas le faire, Gabin. Les services sociaux vont me tomber dessus. Tu n'es pas majeur, et je ne suis rien par rapport à toi. Pas vraiment ton psy, ni ton tuteur, pas... Tu n'as plus de nouvelles de ton père ?

— Si, si. Il a adopté un ouistiti.

— Tu pourrais arrêter de déconner ? C'est fatigant.

Sauveur éternua deux fois, gagné par l'allergie.

— Il faut que tu retournes au lycée, que tu prennes contact avec l'infirmière scolaire, madame Sandoz. Elle pourrait négocier pour toi une place à l'internat de Guy-Môquet.

C'était Samuel qui lui avait soufflé cette solution.

— Vous me jetez...

— Mais non, Ga… a… tchoum ! Je te laisserai même les clés de ma maison. Tu reviens quand tu veux, mais tu n'es pa… a… tchoum !

Sauveur se leva, à demi suffoqué, et fit signe par gestes qu'ils en reparleraient plus tard. Il n'avait pas pu prononcer la phrase : tu n'es pas mon fils. Gabin, rebouchant ses oreilles, se mit à chanter de sa voix de fausset : *I only want you, I only want you !*

*
* *

Sauveur qualifiait chaque jour de la semaine du nom d'un de ses patients. Ainsi le mercredi était le jour-de-Blandine. Mais à 17 heures, Sauveur ne trouva dans la salle d'attente qu'une femme, la quarantaine, très jeune d'allure, et fit des yeux le tour de la pièce à la recherche de Blandine.

— Non, je suis seule, dit madame Dutilleux. Déçu ?

La mère de Blandine et de Margaux se leva gracieusement de son siège. Son manteau et son sac sur le bras gauche, elle tendit la main droite à Sauveur. Il enregistra très vite les dix centimètres de talon, la robe épousant les formes, le pendentif en forme de flèche argentée plongeant dans le décolleté.

— Blandine nous rejoint ?

— Non. Vous allez devoir vous passer d'elle. Elle a un genre de gastro.

Bien qu'avec réticence, Sauveur indiqua à madame

Dutilleux la direction de son cabinet de consultation. Il se méfiait du petit jeu d'agression-séduction entre eux deux*.

– Cela ne vous ennuie pas de me recevoir, j'espère ?

Elle s'était assise dans un fauteuil, croisant haut les jambes.

– J'aurais préféré que vous m'appeliez auparavant, dit-il, le ton neutre et le visage fermé. Vous souhaitiez me parler de Blandine en dehors de sa présence ?

– Oui, parce que sa généraliste trouve qu'elle ne fait aucun progrès. Et ses professeurs se plaignent. Elle est agitée, bavarde, elle oublie ses affaires, bâcle son travail. Au conservatoire, sa prof de flûte n'en peut plus d'elle. Son père la considère comme une arriérée mentale, mais ça, je n'en tiens pas compte. À la maison, c'est un Zébulon sur ressort, qui tape sur les nerfs de sa sœur, et qui parle, parle, parle à toute vitesse…

– Comme vous tout de suite.

À peine Sauveur eut-il fait cette remarque qu'il en sentit la muflerie. Elle lui lança un regard noir, où la colère jetait des escarbilles.

– On me conseille d'essayer la Ritaline, fit-elle.

Ayant le sens de l'humour, elle ajouta :

– Pas pour moi. Pour Blandine.

– Mm, mm.

* Voir *Sauveur & Fils, saison 1.*

Il savait qu'on tournait depuis un moment autour de cette solution : mettre Blandine sous médication pour la « calmer ».

— « Mm, mm » n'est pas une réponse, lui fit remarquer madame Dutilleux.

— Toute la difficulté est de savoir si Blandine est réellement hyperactive. Si elle ne l'est pas, la Ritaline, qui est un psychostimulant, va induire davantage d'agitation et perturber son sommeil.

— Elle a déjà des difficultés d'endormissement. Elle est capable de débouler dans ma chambre à 11 heures du soir pour me parler de Pullip ou de Dieu sait quoi d'aussi intéressant !

— Elle essaie de vous intéresser, oui.

— Ce qui signifie ? Que je ne m'intéresse pas à elle ? Je manque de temps, je le reconnais. Mais entre mon métier de prof, mon ex-mari harceleur, ma fille aînée qui ne veut plus aller en classe, dont on me dit qu'elle est dépressive, puis anxieuse, et puis anxio-dépressive, et les convocations de la CPE pour l'indiscipline de Blandine, je dois avouer que je suis un petit peu débordée !

Dans son énervement, madame Dutilleux ne semblait pas se rendre compte que sa robe remontait toujours plus haut sur ses cuisses, et Sauveur, s'efforçant de la regarder à hauteur des yeux, prenait une expression de plus en plus figée. Il remit le curseur sur Blandine.

— Je soupçonne le sucre de jouer un rôle dans son état.

Madame Dutilleux ricana en murmurant qu'elle aurait

décidément tout entendu. Sans se laisser démonter, Sauveur lui fit un petit cours de SVT.

— Une surconsommation de sucre fait trop travailler le pancréas. Il libère de l'insuline en grande quantité, ce qui entraîne une hypoglycémie. La personne a alors un coup de pompe, qu'elle compense en prenant du sucre. Et c'est reparti pour un tour ! Au total, on obtient quelqu'un comme Blandine, qui est tantôt agitée, tantôt fatiguée, et qui n'arrive pas à se concentrer. Ça ressemble à l'hyperactivité, mais ce n'est pas de l'hyperactivité. C'est un désordre alimentaire, qui est de plus en plus répandu.

Du bout des lèvres, mais tout de même intriguée, madame Dutilleux reconnut que Blandine ne mangeait que des céréales chocolatées le matin, se bourrait de sucreries au goûter, se plaignait de maux de ventre au dîner, et allait se chercher des biscuits dans le placard au moment du coucher. Sauveur, tenu par le secret de la thérapie, ne put lui décrire les orgies de bonbons qui remplaçaient le déjeuner de la cantine.

— Vous croyez vraiment que Blandine serait plus supportable sans sucre ? ironisa madame Dutilleux.

— C'est une addiction, répondit-il froidement. Donc, dans un premier temps, comme pour un fumeur, elle risque d'être exécrable…

— Parfait. Et pour les tendances suicidaires de Margaux, j'essaie le régime sans gluten ?

À l'instant même, elle se rendit compte de l'effet désastreux que sa plaisanterie pouvait produire.

– Je suis une mauvaise mère, c'est ça ? D'ailleurs, mon ex-conjoint veut me faire retirer la garde de Margaux.

– Qu'est-ce qu'elle en pense ?

– Mais elle ne sait plus quoi penser ! Son père lui répète en boucle qu'elle a fait semblant de se suicider pour vous appeler en pleine nuit. Il lui dit qu'elle est tombée amoureuse de vous, que vous êtes un faux docteur et un vrai séducteur.

Sauveur jugea inutile de protester, et la séance se termina par la prise d'un rendez-vous pour Blandine le mercredi suivant. Quand madame Dutilleux voulut se rhabiller, gênée par son sac plein de livres et de copies, Sauveur eut une seconde d'hésitation avant de l'aider à enfiler la manche gauche de son manteau. Puis il la conduisit jusqu'à la porte principale et la salua d'une grave inclination de la tête. Professionnel, avant tout. Mais une fois dans son cabinet de consultation, il se rendit compte que l'image de madame Dutilleux flottait devant ses yeux, ses jambes, son décolleté. Je vais mettre une photo de Louise sur mon bureau, se dit-il. Non. Une photo de mon fils. Père de famille, avant tout.

Cela lui remit en mémoire le forfait qu'il avait à accomplir. D'un tiroir de son bureau, il sortit une cuillère à café, qu'il avait prélevée dans la cuisine au moment du petit déjeuner. Il s'approcha de la cage de madame Gustavia, ouvrit la porte et glissa la cuillère sous la paille. Dans cinq ou six jours aurait lieu la mise bas. Il séparerait un à un les bébés de leur mère à l'aide de la petite cuillère.

C'était abominable, d'autant qu'il devrait ensuite les noyer dans le lavabo ou les asphyxier à l'éther dans une boîte en fer hermétique. Puis comment annoncer la chose à son fils ? Il pourrait prétendre que madame Gustavia, ayant été dérangée pendant l'accouchement, avait dévoré ses petits. Le site sur les hamsters envisageait ce risque. Mais cela rendrait madame Gustavia assez peu sympathique. Sauveur pourrait aussi dire que tous les bébés étaient mort-nés. Mais Lazare et surtout Gabin auraient des soupçons, qui se porteraient sur Sauveur, ce qui le rendrait à son tour assez peu sympathique. Il sursauta au milieu de ses noires ruminations, car la patiente suivante venait d'actionner le heurtoir de la porte d'entrée. C'était précisément la jeune femme qui pleurait son chat. Il feuilleta le cahier où il jetait parfois quelques notes. *Frédérique Jovanovic. 29 ans. Vendeuse dans une joaillerie. Est retournée chez sa mère après une grosse déception sentimentale. M'a vidé la moitié d'une boîte de Kleenex. A une mère allergique aux poils de chat.* Sauveur regarda cette dernière phrase sans comprendre pourquoi il l'avait soulignée.

– Mademoiselle Jovanovic ?

Dans son souvenir, la jeune femme avait de longs cheveux ternes, un teint farineux et des yeux larmoyants. Il resta donc interloqué devant cette soudaine apparition d'une Vénus sortant de sa coquille Saint-Jacques ou du moins de chez la coiffeuse. Bouclée, blondie, hâlée, maquillée, parfumée, relookée comme si elle était passée à l'émission *Les reines du shopping.*

— Je me suis dit : *Move on !*, déclara-t-elle, enterrant définitivement son chat.

Sauveur craignit qu'elle lui demande dans la foulée : «Vous faites quoi ce soir ? », et il se promit de mettre sur son bureau la photo de Lazare ET la photo de Louise.

*
* *

Louise était rue du Grenier-à-Sel dans son nouveau logement. D'une maison ancienne à deux étages, décorée par ses soins, elle passait à un F3 moderne, tout blanc, sans âme. Effondrée dans un des rares fauteuils rescapés, elle regardait les caisses en carton qui s'empilaient jusqu'à mi-hauteur du mur opposé. On pouvait y lire, tracés au feutre, les mots JOUETS, VÊTEMENTS, CUISINE, LIVRES. Les enfants seraient là le lendemain, et Louise n'avait plus de courage. Ce serait encore une semaine de camping sur des matelas jetés au sol, et l'on chercherait dans des caisses éventrées un pull de rechange ou une poêle à frire. Elle aurait bientôt 40 ans, et sa vie était à reconstruire. Mais ce vendredi, elle n'avait même plus la force de lever le petit doigt. Elle dut pourtant lever son postérieur, car on toqua à la porte d'entrée.

— Oui ?

Il y avait un vieux monsieur sur son palier, grand et maigre, qui semblait avoir un portemanteau en bois à la place des épaules et qui dardait sur elle des yeux d'un bleu intense.

— Jovanovic, dit-il. Je suis votre voisin. Je vous ai vue arriver avec le camion du déménagement et tout le saint-frusquin.

— Ah ? Enchantée. Louise Rocheteau.

— Beau prénom, fit-il, le ton galant. C'est dur, hein, le bivouac, les premiers soirs ? Si je peux donner un coup de main, faut pas hésiter à demander.

Louise ne savait pas donner un âge aux gens, mais vu la profondeur des rides qui lui ravinaient le front et les joues, le bonhomme devait avoir entre 75 et 80 ans.

— Je vous aurais bien offert un café, dit Louise, voulant se ménager tout de suite les bonnes grâces du voisinage. Mais je n'ai pas encore trouvé ma cafetière.

— Et le mari, qu'est-ce qu'il fait ? demanda monsieur Jovanovic, plutôt direct.

Louise ne put s'empêcher de rougir. Ce monsieur était sans doute de la vieille école et ne devait pas apprécier les femmes divorcées ou les mères célibataires.

— Ah, ma pauvre petite, soupira-t-il, comme si elle venait de lui faire le récit circonstancié de sa vie. Enfin, je suis là. Si vous avez besoin de quoi que ce soit : Jovanovic. Bon, j'y vais !

Il bomba le torse, et Louise crut un instant qu'il allait faire le salut militaire. Puis il tourna les talons et, négligeant l'ascenseur, prit l'escalier. Le bref passage de ce vieux voisin ranima Louise, qui ouvrit les caisses du salon. En fin d'après-midi, elle eut envie d'un pain au chocolat ou de quelque autre réconfort. Elle sortit de son appartement au même moment que son voisin de palier. Mais ce n'était plus le vieux monsieur. Celui-ci n'avait pas la trentaine. Mise en confiance par la gentillesse de Jovanovic, Louise se présenta et fit allusion à celui qu'elle supposa être le grand-père du jeune homme.

— Quel grand-père ? fit-il, le ton rogue.

— Mais… monsieur Jovanovic.

Elle se heurta à une mimique d'étonnement qui semblait même s'interroger sur sa santé mentale.

— Oh, je suis bête, fit-elle avec un rire d'excuse. C'est sans doute un voisin du dessus… ou du dessous.

— Y a pas de Jova ou de Jéhovah ici, la rabroua le jeune homme en lui fermant la porte de l'ascenseur sous le nez.

Louise prit l'escalier et inspecta les boîtes à lettres, qui étaient toutes étiquetées, à l'exception de la sienne. Il n'y avait aucun Jovanovic. La chose lui parut tellement déconcertante, comme si elle était passée dans un univers parallèle au cours de l'après-midi, qu'elle pensa appeler Sauveur. Mais elle se rappela qu'il n'aimait pas être dérangé pendant les séances, et à 18 heures, il était encore au travail.

En effet, Sauveur était dans son cabinet de consultation en face de Charlie, et de Charlie seule. Depuis cinq minutes qu'elle était là, aucune parole en dehors de « Bonjour, comment allez-vous ? » n'avait été échangée.

— Vous ne me demandez pas pourquoi Alex n'est pas venue ? dit enfin Charlie.

— Pourquoi Alex n'est pas venue ?

— Parce qu'elle me fait la gueule... Vous ne me demandez pas...

— Pourquoi elle vous fait la gueule ? dit docilement Sauveur.

— Parce que j'ai commencé les essais cette semaine.

Charlie expliqua qu'elle avait contacté un donneur potentiel sur un site, un garçon homosexuel qui acceptait de faire un don de sperme à un couple de lesbiennes pour faire avancer la cause LGBT*. Le protocole choisi était le suivant : Charlie réservait une chambre d'hôtel, le jeune homme s'y rendait, laissait son sperme dans un verre en plastique, et repartait. Charlie allait à son tour dans la chambre et se faisait une injection à l'aide d'une pipette, qu'elle avait prélevée dans une boîte de Doliprane. Sauveur avait écouté sans broncher.

— Je sais que je ne dois pas dire que vous êtes contre ce que je fais. Mais puis-je solliciter votre avis ? questionna Charlie.

— La personne qui est contre, et dont l'avis vous importe vraiment, est-ce que ce n'est pas Alexandra ?

— Vous êtes fort pour botter en touche... Mais je vous paie, je vous paie pour avoir un avis !

— Je n'ai pas à avoir un avis, et encore moins à vous le donner.

* LGBT : initiales de lesbiennes, gays, bi et trans.

– Ah bon ? Je vous dirais : j'ai l'intention de tuer mon frère, vous ne feriez pas d'objection ?

– Vous avez l'intention de tuer votre frère ?

– Vous êtes chiant ! râla Charlie.

Mais ils bataillaient pour le plaisir.

– Pourquoi est-ce que je ne rendrais pas heureux un enfant ? reprit-elle. Regardez Élodie. Elle dit partout qu'elle a deux mamans, ça ne lui pose aucun problème, et sa maîtresse la trouve très épanouie.

– Elle est très épanouie, confirma Sauveur.

– Alors ?

– Alors, elle sait d'où elle vient, qui est son père, qui est sa mère. Et elle a la chance d'avoir une seconde « maman » très gentille et très disponible.

– Eh bien, je dirai à mon enfant que je suis sa mère et qu'il a eu un géniteur, un monsieur très gentil, qui m'a donné son sperme pour qu'il naisse…

– … et qui a disparu dans la nature comme un certain nombre de géniteurs, pas vraiment gentils.

– Vous voyez bien que vous avez un avis, maugréa Charlie. Sale sournois. Bourgeois hypocrite. Psy normatif.

– « Normatif » ! Vous voulez me vexer ?

Charlie haussa les épaules.

– Je me fâche avec Alex, et je n'y arrive pas avec vous.

Elle se tut, regardant au loin la cage de madame Gustavia.

– C'est pour bientôt, l'heureux événement ?

– Lundi ou mardi.

— Vous allez en faire quoi, de vos sextuplés ?

— Les noyer.

— Je ne vous propose pas d'en prendre un…

— Je ne vous l'aurais pas donné.

— Même pour les bébés hamsters, je suis disqualifiée… C'est l'heure, non ?

— On a encore cinq minutes si vous voulez.

— De toute façon, je ne recommencerai pas, dit-elle en se levant. Si ça marche, ça marche. Il n'y aura pas de deuxième essai.

Ils se serrèrent la main.

— Dites à Alexandra que j'espère la voir la prochaine fois.

Les yeux de Charlie se voilèrent de larmes.

— Ce n'est pas gagné. Elle ne veut plus entendre parler de tout ça.

Sauveur émit le petit tchip de désapprobation et répéta :

— J'espère la voir la prochaine fois.

Il avait à peine repoussé le verrou derrière Charlie que le téléphone sonna dans son cabinet.

— Je ne te dérange pas ?

C'était Louise.

— Tu ne te décommandes pas pour demain midi ?

— Non, non. Je voulais te parler de quelque chose d'un peu bizarre qui m'est arrivé.

Elle lui parla donc du vieux monsieur qui s'était présenté comme son voisin de palier et de la petite enquête qu'elle avait menée auprès de trois autres voisins, en bonne journaliste qu'elle était. Il n'y avait pas un seul vieux monsieur ni sur son palier ni dans tout l'immeuble.

– Mm, mm, fit Sauveur. Et il t'a dit qui il était ?

– Juste son nom de famille. Jovanovic.

Sauveur ouvrit la bouche pour s'écrier : « C'est le nom d'une de mes patientes ! » Mais il se mordit l'intérieur des joues et garda l'information pour lui.

– Un vieux monsieur un peu Alzheimer ? suggéra-t-il.

Une autre coïncidence vint le surprendre plus tard tandis qu'il parcourait *La République du Centre*. En page 8, un article signé L. R. titrait : « Un lycéen change la vie de réfugiés irakiens ». Tout ce qu'avaient enduré les Haddad passait au second plan pour la raison que Dina n'avait pas raconté grand-chose à Louise. Or, le calvaire des Haddad n'avait pas pris fin après leur fuite de Mossoul le 20 juin. Avec leurs deux jeunes enfants et un bébé qui n'avait pas deux mois, ils avaient survécu avec 130 autres réfugiés dans le sous-sol d'une église orthodoxe à Erbil. C'était grâce à toute une chaîne de solidarité et à un peu d'argent que monsieur Haddad avait passé sous le nez des terroristes au risque de sa vie, que la famille, après bien des tribulations et des privations, était arrivée fin août à la paroisse Saint-Paterne, où les attendait un logement.

Madame Haddad, de retour dans le cabinet de consultation ce samedi matin, continuait de vider son cœur, soutenue par les « mm, mm » compatissants de Sauveur. Il effrayait toujours un peu Raja, qui restait collée à sa maman, les yeux fermés.

— Elle est... *tired*, dit madame Haddad.

— Fatiguée, traduisit Sauveur. Oui, elle est fatiguée, mais elle écoute, hein, Raja ?

Le petit visage s'enfouit plus profondément sous le bras de la maman. La fillette restait isolée à l'école, ne jouant ni ne parlant avec personne. Elle refusait d'apprendre quoi que ce soit et usait tout ce qu'il y avait de feutres noirs autour d'elle. La nuit, elle faisait des cauchemars et réveillait la maisonnée par ses cris.

— Et vous, Dina, comment vous sentez-vous ici ?

Elle fut un moment sans répondre à la question de Sauveur, puis un léger sourire effleura ses lèvres.

— C'est beau, ici. Les magasins.

Le sourire devint presque moqueur, et Dina ajouta qu'à Mossoul elle devait toujours demander à Youssef la permission.

— La permission pour... ?

— Sortir.

Ici, les femmes sortaient dans la rue et achetaient dans les magasins sans rien demander à leur mari.

— Et monsieur Haddad n'a pas fait de difficultés pour que vous veniez seule ici ? s'étonna Sauveur.

Elle rit, faisant tressaillir sa petite fille.

— Je dis à Youssef : mister Saint-Yves, c'est le doctor pour Raja, fit-elle dans son français hésitant. Le papa de Youssef est... *was doctor.* Youssef dit à moi : très bien, le doctor.

Malicieuse, débrouillarde, volontaire, Dina allait enter-

157

rer le passé six pieds sous terre. Au moment de partir, elle désigna madame Gustavia endormie, dont le gros ventre palpitait.

— Babies ?

— Oui, elle va avoir des petits, fit Sauveur.

Raja leva vers lui deux beaux yeux noirs, pleins d'une muette supplication.

— Tu auras un bébé hamster, promit-il, avec une pensée de regret pour Clotilde Dubuis.

Puis, Dina et Raja étant les dernières patientes de la semaine, Sauveur ferma à clé la porte séparant vie professionnelle et vie privée. De la cuisine lui parvenaient rires et cris de joie. Louise, qui devait déjeuner rue des Murlins avec Alice, avait déposé Paul en éclaireur.

— Papa, papa ! hurla Lazare, on fait du dressage !

La longue table de la cuisine allait devenir un parcours pour Bidule, le hamster surdoué. Paul avait apporté son matériel, des planchettes Kapla, des baguettes de Mikado, un tube de carton et une pince à linge. Sous le regard amusé de Sauveur, les trois garçons construisirent un corridor Kapla avec deux haies de Mikado et un tunnel de Sopalin, s'achevant sur une bascule (planchette sur pince à linge) et la récompense : un morceau de pomme.

— Lâchez le fauve ! ordonna Gabin.

Paul ouvrit la cage et Bidule, comme s'il attendait sa libération depuis une dizaine d'années, se propulsa au-dehors. Il suivit les méandres du couloir, sauta les haies, disparut dans le tunnel, marqua un petit temps de surprise quand la planchette bascula sous son poids, puis se jeta sur sa récompense.

– *And the winner is Bidule!*

Et les garçons de chanter cet hymne au vainqueur :

– *Il est vraiment... il est vraiment... il est vraiment phénoménal! Il mériterait... il mériterait d'être dans le journal!*

Sauveur, pris d'une soudaine folie antillaise, attrapa une bouteille en verre, qu'il tapa en cadence avec une clé à sardine, tandis que Lazare frappait le cul d'une casserole avec une cuillère en bois. Puis, tout le monde, dansant autour de la table de cuisine :

– *Il mériterait... Il mériterait d'être dans le journal... dans le journal de Claire Chazal, la, la, la...*

Quand Louise s'annonça à la grille du jardin, le carnaval était terminé et la table, redevenue une honnête table de cuisine avec verres et assiettes.

– Y a Alice, fit Paul, le ton dégoûté, en apercevant sa sœur sur le petit écran de télé.

Alice avait consenti à accompagner sa mère, moyennant une petite transaction. Mais pendant le déjeuner elle ne desserra pas les dents, sinon pour enfourner la pizza. La conversation des garçons (hamsters, ouistitis, putois) lui paraissait de toute façon celle de trois débiles profonds.

– OK, les boys, débarrassez-moi le plancher! s'écria Sauveur au moment du café. Et emmenez-moi vos bestiaux, je ne peux plus les voir!

Exit donc Gabin, Lazare, Paul, madame Gustavia, enceinte jusqu'aux yeux, Bidule et Sauvé. Alice, désormais en danger face à deux adultes, s'exila dans la véranda puis, sortant son portable, partit en quête de Mélaine, Marine, Selma ou Hannah, bref de quelqu'un à qui elle pourrait se plaindre.

Très satisfait du déroulement de la journée, Sauveur sifflotait en préparant le café tandis que Louise faisait des petits tas de miettes sur la table. Alice avait plombé l'ambiance du déjeuner. Sauveur doit me trouver laxiste, songea Louise, incapable de mettre un cadre éducatif, tous ces trucs que pensent les psychologues dès qu'ils voient une mère de famille. Croyant que Sauveur, le dos tourné et cherchant les tasses à café, était en train de faire son procès, elle était de plus en plus mortifiée. Toujours de ma faute. Comme avec ma mère. Comme avec Jérôme.

— Un sucre ? dit Sauveur, s'asseyant en face d'elle. Super, ce temps. On pourrait... Il y a quelque chose qui ne va pas ?

Il venait de percevoir que Louise et lui n'étaient pas au diapason. D'un mouvement de tête, elle désigna Alice en plein clavardage à quelques mètres d'eux. Sauveur haussa un sourcil d'incompréhension. Pour lui, une ado qui faisait la gueule à un repas de famille n'était pas un problème, mais un principe de base.

— Je ne sais plus quoi faire avec elle, se plaignit Louise. J'ai même dû l'acheter pour qu'elle vienne.

— Ah bon ? s'amusa Sauveur. Combien ?

— Un livre idiot. *Mon combat.*

— Ah oui, par EnjoyYourself.

Louise ne s'était pas attendue à ce qu'il fût au courant de l'existence des youtubeuses beauté. Elle l'observa par en dessous. Non, il n'avait pas l'air de penser que c'était une lecture lamentable ou qu'Alice était en voie de crétinisation.

— Tu l'as lu ? fit-elle.

— Non, mais Alice me le prêtera. C'est l'histoire d'une jeune fille qui se faisait harceler au collège et qui est devenue belle, riche et célèbre, ce qui est une excellente solution, mais difficile à mettre en pratique pour tout le monde.

Louise sourit, apaisée, et tourna la tête vers la véranda.

— Il y a du soleil, dit-elle.

Sauveur faisait cet effet-là.

Semaine du 28 septembre au 4 octobre 2015

— Bonjour, madame Germain !

— Ah bien, tu ne te trompes plus maintenant.

Sauveur ne révéla pas à Gervaise le moyen mnémotechnique qu'il employait pour retenir son nom de famille : Germe + main. Elle avait toujours ses gants blancs et posa son napperon sur la chaise.

— Avez-vous fait vos exercices ?

Madame Germain, à qui Sauveur avait fini par révéler qu'elle souffrait d'un toc, avait dû pendant la semaine affronter sa peur d'être contaminée en faisant deux exercices.

— J'ai touché la poignée de la porte sans mes gants, mais avant, je l'ai bien nettoyée à la Javel.

— Donc, vous avez un peu triché. Et le soir, est-ce que vous avez pu vous mettre au lit sans vous laver les pieds dans la bassine ?

— J'ai mis des chaussettes de lit bien lavées à la Javel.

— Si vous pouvez vous passer du bain de pieds, c'est un petit progrès.

— Parlant des petits progrès, j'ai vu un voyant-guérisseur.

163

— Un guérisseur ?

— Comme tu m'as dit de séparer les problèmes, le voyant-guérisseur, c'est pour le problème du beau-frère.

— Et qu'est-ce qu'il fait, ce guérisseur ?

— Il fait ses affaires, répondit mystérieusement madame Germain.

Il s'agissait de pratiques magiques, plus ou moins inspirées du vaudou, pour retourner le sort à l'envoyeur.

— Mais pourquoi votre beau-frère vous veut-il à ce point du mal ? Vous ne me l'avez pas encore expliqué.

— C'est une vieille, vieille histoire.

— J'ai tout mon temps.

C'était en effet de l'histoire ancienne qui commençait aux Antilles quand Gervaise avait 10 ans. Elle avait une nombreuse fratrie, dont une demi-sœur de vingt ans son aînée, Rosemarie. Rosemarie était mariée à monsieur Lempereur, dont elle avait déjà deux fils. Naquit une petite fille.

— J'ai été à l'hôpital de Fort-de-France pour voir le bébé à ma sœur, mais j'avais la fièvre et j'ai rien dit. Quand j'ai vu le bébé tellement mignon dans le berceau, je l'ai pris dans les bras. Après, on s'est aperçu que j'avais l'angine blanche, Jésus, Marie, Joseph ! La petite l'a attrapée et elle est morte.

Sauveur étouffa un « oh » navré.

— Elle est morte, répéta Gervaise en roulant des yeux. Et c'était ma faute parce que je l'avais tenue dans les bras.

— Vous aviez 10 ans, Gervaise, et puis le bébé est peut-être mort d'autre chose. Une angine, ça se soigne avec des antibiotiques.

Mais madame Germain était persuadée de sa culpabilité, probablement parce que les parents de l'enfant l'avaient accusée. Gervaise avait grandi, elle était venue travailler en métropole, et l'affaire semblait oubliée. Puis, il y avait de cela trois ans, les Lempereur s'étaient installés à Orléans pour se rapprocher de leur fils aîné.

— Quand j'ai vu ma sœur par hasard dans la rue, je suis devenue toute molle des jambes, et la tête m'a tourné.

— Elle ne vous avait pas prévenue ?

— Je ne savais même pas que leur fils aîné habitait à Orléans.

Rosemarie avait invité Gervaise à prendre le thé comme si tout était pardonné. Mais en revenant de chez les Lempereur, où elle avait aussi salué son beau-frère, Gervaise s'était aperçue que son rouge à lèvres n'était plus dans son sac. Peu après, elle avait enchaîné les maladies les plus variées.

— Tu comprends ?

— Quoi donc ?

— Mais tu es au courant !

Sauveur était en effet au courant. À Fort-de-France, où il avait exercé pendant une dizaine d'années, il avait soigné des patients qui se prétendaient ensorcelés. Monsieur Lempereur était considéré par sa belle-sœur comme un « malfaiteur » qui se servait d'un objet « arrangé », en l'occurrence le rouge à lèvres, pour la quimboiser. Gervaise était persuadée que son beau-frère la haïssait, car il n'avait eu que des fils et avait toujours voulu une fille, celle dont il avait été privé par sa faute. La culpabilité de ses 10 ans, remontant à la surface, s'était transformée en quimbois, et le voyant-guérisseur avait tout intérêt à la maintenir dans cette croyance. Et la phobie des microbes ? Elle prenait peut-être aussi son origine dans ce drame, puisque Gervaise était censée avoir transmis un virus mortel en touchant l'enfant.

— Vous m'avez dit, Gervaise, que vos habitudes de propreté remontaient à deux ou trois ans. Ça a commencé AVANT d'avoir revu votre sœur dans la rue, ou après ?

— Peut-être un peu avant, peut-être un peu après, fit-elle, le ton nonchalant.

— Non, non, c'était soit avant, soit après, insista Sauveur. Les gants, avant ou après ? Essayez de vous souvenir.

— Après.

C'était donc bien ce qu'il pensait. Mais savoir l'origine d'un trouble n'en amène pas la guérison.

— Faites vos exercices tous les jours, Gervaise, et vous allez voir que votre angoisse d'être contaminée diminuera peu à peu.

— Je vais faire aussi mes affaires, dit-elle, le ton prometteur. Mais je sépare, je sépare !

Après le départ de sa patiente, Sauveur eut une pensée pour Ella, qu'il recevrait en fin d'après-midi. Peut-être les filles de la 4e C pourraient-elles être quimboisées elles aussi ? Ella se procurerait un objet leur appartenant, une gomme ou un capuchon de feutre, et... mm, mm, Sauveur se rappela lui-même à l'ordre, car il était en train de dériver.

— Ella ?

Il renonçait à l'appeler Elliot. Ce n'était pas à lui de renforcer le trouble qu'elle éprouvait sur son identité sexuelle. Elle passa devant lui, sac à l'épaule. Oui, le sac marin qu'elle avait nettoyé avec l'aide de sa maman et du Diable détacheur.

— Comment va ?

— Ça va. J'ai eu 16 en contrôle de maths. Ah, là, là, papa n'en pouvait plus ! «Tu vois quand tu veux, tu fais mieux que ta sœur !» Jade était verte !

— C'est sa couleur naturelle.

Ils rirent de la blague, satisfaits de cette petite victoire sur la grande sœur, toujours donnée en modèle.

— Maman veut me montrer à son médecin.

— Un généraliste ? Tu as un souci ? Ta tension ?

— Non. Je n'ai plus mes...

Elle ne prononça pas le mot, mais Sauveur comprit qu'il s'agissait des règles. Du regard, il la soupesa. Elle n'était pas sur la pente anorexique. Mais le psychisme humain est si puissant qu'Ella pouvait sans doute bloquer son cycle menstruel.

— De toute façon, je vous l'ai dit. Je ne veux pas...

— Termine tes phrases, Ella.

— Pourquoi vous ne m'appelez plus Elliot ? remarqua-t-elle.

— Parce que certaines choses ne sont pas en mon pouvoir.

— Comme ?

— De te faire changer de sexe.

Alors, il avait rompu le pacte. Elle ne lui dirait plus rien.

— Elliot Kuypens, c'est ton nom d'écrivain, poursuivit Sauveur. Quand tu seras publiée, je pourrai me vanter : oui, je l'ai connue à ses débuts…

Il ne tira d'elle qu'un sourire réticent. Il tenta un dégagement :

— Et du côté de la 4ᵉ C, rien à signaler ?

Elle secoua la tête d'un mouvement impatient. Elle n'avait plus envie de lui parler.

— Tu es en colère contre moi.

Une minute de silence. Deux minutes.

— C'est depuis que je suis née que je suis en colère, dit-elle enfin. Je voulais naître en garçon.

— Il y a eu erreur à la livraison.

— C'est pas drôle.

— Non. Mais ça n'empêche pas de garder le sens de l'humour.

Elle donnait des petits coups de pied dans son sac marin, passant sa rogne sur ce symbole de son moi au masculin.

— Essaie de comprendre mon point de vue, Ella. Je préfère que tu exprimes ta colère d'être une fille que de faire semblant de croire que tu es un garçon. En thérapie, on recherche une chose qui se rapproche de la vérité, non ?

Elle aimait qu'il lui parle de cette façon. Il ne la traitait pas en enfant.

— La vérité, dit-elle, c'est que je ne VEUX pas être une fille et que je ne PEUX pas être un garçon.

— Ni l'un ni l'autre… Ou les deux ?

La question resta en suspens.

— En tout cas, reprit-elle, il y en a un qui m'embête, c'est Jimmy.

— Jimmy ?

— Vous ne vous rappelez pas de lui ?

— Si, si. Appareil dentaire. *Call of Duty*. Et comment il t'embête ?

— Il se croit toujours mon « ami ». Il m'a dit qu'il surveillait les filles de la 4ᵉ C. Il doit me prévenir si elles me préparent un autre sale coup.

— C'est plutôt sympa ?

— Je ne lui ai rien demandé. Et il m'envoie un tas de SMS sur mon portable, ça m'énerve.

— Quel genre de SMS ?

— Je sais pas… Tes yeux, tes ceci, tes cela. « **T tro bel** » J'aime pas ça ! J'aime pas ça !

— Tu le lui as dit ?

— Non.

— Ce n'est pas parce qu'un garçon est attiré par toi que ça lui donne des droits.

— Vous croyez que je suis lesbienne ?

— Tu penses aux filles ? fit-il, plus pudique qu'elle.

— Non. Ça ne m'intéresse pas, tout ça.

— Eh bien, tu as ta réponse pour Jimmy. « Je n'ai pas l'âge. Je ne me sens pas prête pour ces histoires. »

À leur soulagement réciproque, Sauveur et Ella avaient su renouer le dialogue, et la séance se termina sur une note de gaieté. Tout en enfilant son caban, Ella s'approcha de la cage de madame Gustavia tandis que Sauveur notait sur son agenda le rendez-vous pour le lundi suivant, 17 h 15.

— Oh, Sauveur, venez voir !

Il lâcha son stylo et alla s'accroupir devant la cage. Le petit animal avait mis bas, et tout un tas de choses rosâtres remuaient, collées à son flanc, des petits sacs plissés avec deux points noirs figurant les yeux. C'était un peu répugnant. Sauveur essaya de les compter. 1, 2…

— 7, fit-il, consterné.

— Vous pouvez m'en garder un ?

— Je croyais que tes parents ne voulaient pas d'animaux ?

— Je vais passer un deal avec papa. Encore trois notes au-dessus de 15, et j'ai un hamster ! Je veux un mâle. Je vais l'appeler Jack.

— D'accord. Mais je ne peux pas te garantir que ce sera un mâle.

— Sur les sept, il y en aura forcément un !

Sauveur ne lui répondit pas qu'il avait l'intention, dès qu'elle aurait tourné les talons, d'en supprimer cinq. Pourtant, un instant plus tard, il était devant la cage ouverte, la petite cuillère à la main. Mais comment épargner le hamster de Raja et celui d'Ella ? S'il y allait à la cuillère, il ferait de la purée de hamster. Puis madame Gustavia, affolée, dévorerait les survivants.

— Meeerde, fit-il en refermant la cage.

Ce lundi comme le précédent, il attendit en vain la venue de mademoiselle Motin et il conclut qu'elle avait mis un terme à sa psychothérapie. Qui était-elle vraiment ? Une mythomane souffrant d'une dépression postpartum ? Bien qu'elle fût immature, elle ne lui semblait pas dangereuse pour son bébé. Il aurait cependant été plus tranquille s'il avait pu prendre de ses nouvelles au téléphone. Il regrettait de ne pas lui avoir demandé son zéro-six. Mais il était probable qu'elle lui aurait donné un numéro tout aussi faux que le reste.

Sauveur décida de plier boutique. N'ayant pas eu le courage d'attaquer la portée de madame Gustavia, il posa la cage sur la table de la cuisine.

— Ça vous dit en brochette ?

Gabin et Lazare se bousculèrent devant la cage et firent comme Sauveur. Ils comptèrent jusqu'à 7.

— 7 bébés. Elle est vraiment phénoménale, dit Gabin sur le ton de la conversation.

— Elle mériterait d'être dans le journal, lui répondit Lazare sur le même ton.

Le lendemain, à l'école, la nouvelle fit un triomphe. Sept d'un coup ! Paul fit des cabrioles dans la cour de récréation.

171

– On va en prendre un pour ma sœur !

– T'es ouf ! Elle ne les aime pas.

– Mais justement, je le garderai pour moi, répliqua Paul, calculateur.

– Tu dois prendre un autre mâle. Autrement, dit Lazare, qui connaissait la vie, ils vont faire zig-zig.

Il restait encore quatre hamsters à placer, pour lesquels Lazare se faisait un peu de souci.

– Ton père va les donner à ses clients, fit Paul.

– Pas sûr. Et puis on dit « patients », on dit pas « clients » comme à la boulangerie… Oh, ça y est, j'ai une idée de génie ! On va mettre une affiche à la boulangerie.

– Je vais dessiner Bidule, renchérit Paul.

Ils entrèrent dans la salle de classe, ne pensant qu'aux hamsters, comme les trois quarts de leur temps de vie consciente. Paul se mit tout de suite à l'ouvrage. Retournant sa feuille de coloriage *Star Wars*, il écrivit : RAVIS-SANTS hamsters ! !

De son côté, madame Dumayet innovait, ce mardi matin. Renonçant aux proverbes qui vous mettaient le moral dans les chaussettes, elle avait apporté un livre de chez elle, qu'elle comptait lire à voix haute à raison d'un chapitre par jour.

– C'est un livre qu'on m'a offert quand j'étais petite fille.

– Waouh ! firent les élèves, il doit être super vieux !

Parfois, madame Dumayet regrettait de ne pas être ce fameux pire sourd qui ne veut pas entendre.

— « *Je m'appelle Aline Dupin,* commença-t-elle, *j'ai onze ans depuis le 16 août. Estelle a douze ans. Riquet a six ans et demi. On habite 13 bis, rue Jacquemont, la maison qui est juste en face de la cour du charbonnier.* »

Après avoir lu quelques pages de *La Maison des petits bonheurs*, madame Dumayet savoura le silence de la classe et releva les yeux. Certains élèves coloriaient, deux s'étaient endormis, Jeannot suçait son pouce en essayant de se cacher.

— La suite au prochain numéro.

La classe s'agita à l'instant même où elle ferma son livre à regret.

— Paul, peut-on savoir ce que tu as de toujours si important à dire ?

Madame Dumayet se souvint qu'elle ne devait pas systématiquement rabrouer les garçons et s'approcha de la table des deux copains. Paul se dépêcha de mettre *Star Wars* côté face.

— Tu as le droit de dessiner, lui dit la maîtresse, désireuse d'encourager la créativité masculine.

N'y tenant plus, Paul présenta son affiche, où il avait dessiné un Bidule qui était un chef-d'œuvre d'observation animalière.

— Ah tiens, tu as des hamsters ? Tu les vends ?

À la sortie des classes, Louise attendait son fils pour le ramener au 9 rue du Grenier-à-Sel. Elle était encore sous le coup de l'énervement du récent appel téléphonique de Jérôme. Il voulait une fois de plus modifier la garde alternée, puis il prétendait que Louise avait acheté des chaussures trop chères à Paul, et il n'en rembourserait pas la moitié, elle avait pris un rendez-vous chez l'orthodontiste pour Alice sur sa semaine à lui, et il ne la conduirait pas, etc. Louise, qui avait peur des conflits, ne s'était pas opposée à lui. Elle ne comprenait rien à ce harcèlement, dont elle n'avait pas remarqué qu'il avait commencé peu après que Jérôme avait croisé Sauveur.

La sonnerie retentit à l'intérieur de l'école. Les CP-CM de madame Dumayet étaient toujours les premiers sortis.

— Hein, maman, qu'on va chez Lazare ce week-end ? voulut se faire confirmer Paul avant même d'embrasser sa mère.

C'était prévu : les week-ends où Alice et Paul seraient avec leur mère se passeraient désormais rue des Murlins.

— Oui... euh, non, bafouilla Louise. Votre père m'a appelée tout à l'heure. Il veut vous récupérer le dimanche matin.

— Mais ce n'est pas possible ! piailla Paul. Ça va tout gâcher !

Louise n'avait pas encore réalisé à quel point, en effet, ce changement allait tout gâcher. Il n'y aurait plus de week-end. Elle devait rappeler à Jérôme qu'ils avaient passé un accord devant avocat. Elle soupira, fatiguée d'avance. Elle le sentait déterminé à faire des histoires pour tout et n'importe quoi.

— Oh, il m'est arrivé une drôle de chose, dit-elle pour

174

créer une diversion. Vous vous souvenez du vieux monsieur Jovanovic ?

— Le voisin qui n'existe pas ? intervint Lazare, qui avait déjà fait toutes sortes d'hypothèses avec Gabin, incluant, bien sûr, les mondes parallèles.

— Je l'ai revu tout à l'heure, poursuivit Louise.

Elle faisait du repérage dans son nouveau quartier à la recherche des différents commerces et, place de l'Ancien-Marché, elle avait eu une surprise. Le vieux monsieur Jovanovic était là, qui dormait, assis sur un banc. Il était très reconnaissable avec sa crinière blanche, son nez en bec d'aigle, son visage sillonné de rides profondes.

— Je n'ai pas osé le réveiller, je suis allée faire quelques courses, et quand je suis repassée, il n'y avait plus personne sur le banc. Mais sous le banc...

Louise s'immobilisa et sortit de sa poche d'imperméable un portefeuille en cuir noir, très vieux, très usé et très plat.

— Il y avait ça.

Les deux garçons se bousculèrent en criant :

— Montre, montre !

— Doucement, les calma Louise. Ça ne vous appartient pas.

Mais elle l'avait déjà examiné. Il contenait fort peu de choses : une photo en noir et blanc d'un homme jeune tenant une petite fille par la main, une médaille miraculeuse de la Sainte Vierge de la rue du Bac, un bout de carton avec les horaires des piscines d'Orléans, et un papier où était indiqué d'une belle écriture à l'ancienne : «*Je m'appelle Bosco Jovanovic, Jovo pour les amis. Si vous me trouvez mort, faites brûler mon corps. Si je suis pas tout à fait mort, soyez gentil, me retenez pas trop longtemps, le bon Dieu m'attend.* »

— C'est triste, dit Paul, la voix rêveuse.

— C'est lui sur la photo ? demanda Lazare.

C'était un grand gaillard maigre aux yeux très bleus.

— Oui, fit Louise, rêveuse elle aussi. Le portefeuille a dû tomber de sa poche, peut-être quand il dormait.

— Comment on peut lui rendre ? s'interrogea Paul. On sait pas où il habite.

— Dans la rue, répondit Lazare. C'est un SDF.

Le jeune garçon surprenait parfois Louise. Il analysait, concluait, laissant aux autres le soin de dire que c'était triste ou que c'était moche.

*
* *

C'était déjà le jour-de-Samuel. Le temps passait à une vitesse ! Ou peut-être Sauveur redoutait-il la séance avec madame Cahen ? Il ne l'avait vue qu'une seule fois et elle lui avait rappelé sa propre mère. C'était une femme en apparence très soucieuse de son fils, mais derrière son dévouement pointait un terrible besoin de contrôler, de dominer, de posséder.

— Tu te lèves, Minou ? cria madame Cahen à travers la porte de la chambre. Je t'ai fait ton chocolat.

Puis elle se prépara pour le rendez-vous avec le «docteur Sauveur», comme elle s'obstinait à l'appeler, bien qu'il lui ait dit trois fois qu'il n'était pas docteur et que son nom de famille était Saint-Yves. Depuis que son fils l'avait poussée contre la porte, elle avait gardé une frange sur le front pour dissimuler la cicatrice et l'hématome. Mais elle choisit ce matin-là de bien dégager son front et de ne pas se maquiller. Elle alla ouvrir brusquement la porte de la chambre.

— J'y vais. Je ne veux pas me mettre en retard à cause de toi.

Samuel en caleçon, qui lui tournait le dos, eut un sursaut, mais ne répondit rien.

Madame Cahen voulait se ménager un petit temps seule à seul avec Sauveur pour lui raconter, sans risquer d'être contredite, la façon dont son fils l'avait brutalisée. Sa manœuvre fut déjouée par Sauveur qui attendit 9 h 45, l'heure prévue, pour la chercher en salle d'attente. Au même moment, Samuel cognait à la porte d'entrée, et Sauveur nota immédiatement deux choses, l'odeur de savonnette du garçon et le front bosselé de sa mère. Une fois dans le cabinet de consultation, madame Cahen s'assit sur une chaise tandis que Samuel prenait sa place habituelle sur le canapé, mais les yeux baissés, dans l'attitude du petit garçon qui attend d'être grondé.

— C'est agréable de te voir aussi fringant ce matin, lui déclara Sauveur, jouant le contre-pied.

Samuel releva les yeux, ahuri.

— Rien de tel qu'une bonne douche, explicita son psy. N'est-ce pas, madame Cahen ?

— Hein ? Euh… oui, bredouilla-t-elle, se faisant tout d'un coup l'effet d'être négligée.

— Alors, comment vont les choses entre vous ? poursuivit Sauveur sur le même ton entraînant.

Madame Cahen avait escompté qu'il pousserait une exclamation d'horreur en la voyant ainsi défigurée et elle ne pouvait faire davantage pour attirer son attention, à moins de lui dire : «T'as vu, monsieur, mon gros bobo ?» Ce qu'elle fit presque en maugréant :

— Eh bien, comme vous le voyez, il m'a encore poussée.

Samuel grommela quelque chose qui ressemblait à des excuses.

— Pas d'autre problème depuis ? enchaîna Sauveur. Samuel suit une scolarité normale, d'après ce qu'il m'a dit. De votre côté, le travail, ça va ?

Madame Cahen travaillait dans la restauration, ce qui accentuait pour Sauveur sa ressemblance avec sa mère adoptive, Marie-France Saint-Yves, qui avait possédé un restaurant à la Martinique, le Bakoua de Sainte-Anne.

— Vous parlez comme si tout était réglé, fit madame Cahen, le ton aigre. Mais rien n'est réglé.

— Rien ? C'est-à-dire ?

Tout y passa : depuis les chaussures que Samuel laissait traîner dans l'entrée jusqu'à la chasse d'eau qu'il oubliait de tirer, «même après la grosse commission». Et il prenait la maison pour une hôtellerie, pas bonjour ni merci, il avait même voulu s'enfermer avec un loquet « chez lui » (comme s'il n'habitait pas chez sa maman !) et il perdait son temps au téléphone avec des Marie-couche-toi-là, et il s'abîmait la santé.

— J'en ai la preuve, c'est moi qui fais son lit, dit-elle en se rengorgeant de satisfaction.

Ouch, c'est du lourd, songea Sauveur. Elle traquait son fils jusque dans les moindres recoins de sa VP. Du reste, Samuel, exhibé sans pitié au regard de son psy, se taisait, écrasé de honte.

— Bref, Samuel a 16 ans et se comporte grosso modo comme tous les garçons de son âge, conclut Sauveur. Le seul problème que je vois, c'est qu'il ne contrôle pas ses réactions d'agacement quand vous lui faites des observations.

— Vous êtes bien gentil avec vos « réactions d'agacement », lui fit observer madame Cahen, mais moi, j'appelle ça un fils qui frappe sa mère.

Elle montrait son front.

— Je lui fais tout, même son petit déjeuner du matin, et voilà comment il me récompense !

Samuel marmonna quelque chose en se trémoussant.

— Oui, Samuel, tu veux dire ? l'encouragea son thérapeute.

— J'ai pas besoin qu'on me fasse mon petit déjeuner.

— Tu peux t'en occuper seul, c'est ça ? dit Sauveur, se penchant vers lui. Ou bien t'en passer…

Samuel voulut répondre, mais sa mère lui confisqua la parole. Ah non, par exemple, pas question qu'il renonce à une alimentation équilibrée, un chocolat chaud le matin et des tartines, c'était indispensable, un docteur devait le savoir tout de même ! La séance faisait du surplace, c'était toujours les mêmes rengaines, la même guéguerre. Sauveur avait envie de hurler à cette femme, qui lui pompait l'air autant qu'à son fils : « Lâchez-lui la grappe et trouvez-vous un mec ! » Mais son rôle de thérapeute était d'aider cette mère à aider son fils, pas de porter sur elle un jugement. Au bout d'une demi-heure, il réussit à introduire le thème de l'internat « pour donner un cadre éducatif », et Samuel eut l'intelligence de ne pas se montrer trop enthousiaste. Plus Sauveur exposait les avantages de cette solution et parlait des chambres disponibles à l'internat de Guy-Môquet, plus la mère devenait silencieuse, jetant des regards à droite et à gauche, cherchant l'issue de secours. Elle ne trouvait pas d'arguments à opposer au docteur, mais elle paniquait à l'idée de perdre son emprise sur son fils.

— Je vais voir, je vais me renseigner, bredouilla-t-elle, pressée de s'en aller.

— Donc, 9 h 45, mardi prochain, dit Sauveur en notant le rendez-vous sur son agenda. Nous faisons des progrès, il faut continuer sur cette lancée, madame Cahen.

Il adressait ses compliments à la mère, voulant lui faire croire que c'était elle qui soutenait la solution de l'internat. Mais il sentit, à sa poignée de main molle, qu'elle se dérobait.

Pour se changer les idées, il alla regarder les bébés de

madame Gustavia. Il se souvenait qu'elle en avait perdu deux, lors de sa précédente portée. Mais les sept petites choses avaient l'air bien vivantes et s'écrabouillaient fraternellement dans leur nid de paille et de Kleenex. Quand il se redressa, Sauveur dut se tenir au mur tant la tête lui tournait. Trop de choses s'y entrechoquaient : Louise qui faisait avec lui deux pas en avant, trois pas en arrière, Gabin qui promettait de retourner au lycée et n'en faisait rien, madame Poupard, dont la sortie du service psychiatrique reculait à l'horizon, sans compter cinq petits hamsters à placer.

— Tu sais quoi ? lui dit Lazare, ce soir-là. La maîtresse, elle a trop envie d'un hamster pour son petit-fils. Et même, elle veut bien l'acheter !

Plus que quatre.

— Et je crois qu'Alice rêve d'en avoir un aussi, ajouta le rusé Lazare.

Plus que trois. Et pourquoi pas Blandine ? se dit Sauveur, chez qui le placement du hamster tournait au toc.

À 17 heures, le lendemain, il trouva Blandine dans sa salle d'attente, assise immobile sur une chaise, ce qui ne manqua pas de l'étonner.

— Tu es malade ?

— Pourquoi vous avez dit à ma mère que je mangeais trop de sucre ? répliqua-t-elle, l'air mécontente. Je croyais que vous ne répétiez rien ?

Sauveur se justifia comme il put : il n'avait pas parlé des bonbons Haribo au kilo, il avait juste mis en garde madame Dutilleux contre les risques d'une alimentation trop sucrée.

— Fff, elle a même jeté un pot de Nutella entier, râla Blandine pour la forme.

Elle était étrangement calme. Comme abattue. Était-ce possible que le manque de sucre se fasse sentir à la manière d'une drogue et qu'il s'agisse d'un sevrage?

— Tu vas bien, Blandine?

— Je suis fatiguée.

De fait, elle restait les yeux fixes, prostrée. Peut-être ce que Sauveur redoutait depuis le début était-il en train de se produire…

— Tu te couches tard, non?

— Je me couche tard, je me couche tôt, ça ne change rien, je dors pas.

— Tu ne dors pas?

Pas de réponse. L'agitation était tombée, le mouvement perpétuel s'était arrêté.

— Ah oui, j'y pense… fit-elle, essayant de se secouer. Margaux m'a donné une lettre pour vous.

Elle fouilla dans son sac et en sortit une enveloppe cachetée. Sauveur la prit et la mit dans sa poche.

— Vous la lisez pas?

— Plus tard. Ce n'est pas la séance de Margaux tout de suite. Qu'est-ce que tu fais la nuit si tu ne dors pas?

— Vous allez le répéter à maman?

— Tu fais des jeux sur ton téléphone, tu tchates avec Samir et Louna, tu lis tes mangas avec une lampe de poche, tu manges tes stocks de bonbons, tu fais des photos de Pullip, énuméra Sauveur.

— C'est pas la peine de demander si vous savez.

Il n'y avait pas d'animosité dans sa voix. Au fond, elle aimait mieux que Sauveur soit au courant.

— Tu es inquiète, n'est-ce pas ? Tu as peur qu'il se passe quelque chose ?

— Genre quoi ? dit-elle, tout son corps se tordant dans un mouvement d'angoisse.

— Genre de ce qui s'est passé la nuit où Margaux a fait une tentative de suicide.

Cette nuit-là, le père de Blandine et Margaux, monsieur Carré, était sorti avec sa seconde épouse. Les pompiers avaient dû forcer la porte pour laisser passage au SAMU, Margaux avait été emportée sur une civière, et Blandine, paniquée par l'irruption d'inconnus dans sa maison, s'était sauvée dans la rue.

— Heureusement que vous étiez là, se souvint-elle, et vous m'avez prêté votre anorak. J'étais en pyjama !

Personne ne s'était préoccupé d'elle par la suite. Elle était restée pendant des mois avec le souvenir de cette nuit. Peu à peu étaient venus les cauchemars, puis l'insomnie. Ses parents ne s'étaient inquiétés d'elle qu'à cette rentrée scolaire et parce que les professeurs se plaignaient de sa dissipation.

— Margaux est soignée, Blandine, elle est suivie par un psychiatre très compétent. Et tes parents sont prévenus, ils savent qu'ils doivent faire preuve de vigilance.

— Vigilance, ça veut dire… ?

— Qu'ils font attention à Margaux, qu'ils surveillent ce qu'elle…

Il se tut, car Blandine faisait non de la tête.

— Ils sont trop occupés, expliqua-t-elle sans paraître porter de jugement.

Peu à peu, elle avait pris la place des parents. Sans vraiment être consciente de ce qu'elle faisait, elle veillait sur sa sœur, la nuit. Le jour, son tempérament nerveux et ses élucubrations continuaient à donner le change, le sucre entretenant la prétendue hyperactivité. Mais l'angoisse et la détresse poursuivaient leur travail de sape. Blandine était en train de s'effondrer.

Plusieurs fois au cours de la séance, Sauveur avait glissé la main dans sa poche. Devait-il ou non lire la lettre devant Blandine, que Margaux avait choisie pour messagère ?

— Blandine, lui dit-il, sur le pas de la porte, tu as 12 ans et tu ne peux pas porter plus sur tes épaules de 12 ans.

Il eut à peine le temps de finir sa phrase. Blandine se jeta sur lui, ses bras lui enserrant la taille. Se ressaisissant tout de suite, elle attrapa le sac à dos qu'elle avait lâché et elle disparut dans le couloir. Une nouvelle fois, Sauveur palpa l'enveloppe dans sa poche, la sortit, l'examina. Margaux avait écrit : *Monsieur Saint-Yves*. Il ébaucha le geste de la décacheter, puis renonça. Il avait encore une patiente à accueillir, et son écoute ne devait pas être troublée.

— Mademoiselle Jovanovic ?

Frédérique – c'était son prénom – était une jeune femme consciencieuse qui préparait sa séance de psycho-thérapie comme s'il s'agissait d'un exposé pour la classe. La fois précédente, elle avait choisi comme sujet : comment faire son deuil (de Filou, son chat). Cette fois-ci, c'était...

– La fatalité familiale.

– La fatalité familiale, répéta l'écho.

– Oui. À 29 ans, maman s'est retrouvée enceinte de moi, et son compagnon du moment l'a quittée. On ne sait pas ce qu'il est devenu. À 29 ans, ma grand-mère, Sonja, était tombée enceinte de ma mère, et son compagnon l'avait quittée.

– Exactement la même histoire ?

– Pas tout à fait. Ma mère a été reconnue par son père. C'est lui dont nous portons le nom.

– Jovanovic.

– D'après ce que m'a raconté mamie avant de mourir, c'était un légionnaire d'origine serbe. Maman se souvient d'un grand monsieur qui lui paraissait très beau et qui lui apportait de temps en temps une grosse peluche ou une sucette géante et qui l'emmenait faire un tour d'autos tamponneuses. Après ses 10-11 ans, elle ne l'a plus jamais revu. Elle pense qu'il est mort dans une opération militaire.

– Il y a donc eu une répétition sur deux générations, admit Sauveur.

– Trois générations, rectifia Frédérique. J'ai fait la connaissance de... de quelqu'un qui m'a laissée tomber et, un peu après, je me suis aperçue que j'étais enceinte.

185

Frédérique avait 29 ans. Sauveur se taisait, attendant le dénouement.

— J'ai fait une IVG. Je ne voulais pas d'une autre petite fille qui grandirait sans papa.

— Vous n'avez donc pas seulement perdu Filou, lui fit observer Sauveur. Vous avez aussi mis un terme à la fatalité familiale.

— Oui, dit-elle.

Et une larme coula le long de sa joue. Sauveur lui tendit sa boîte de Kleenex.

— C'est votre femme ? demanda-t-elle en désignant la photo de Louise sur le bureau.

— Une... une amie. Lui, c'est mon fils, se rattrapa Sauveur en montrant la photo de Lazare.

Il lui vint alors une idée désastreuse à l'esprit.

— Vous ne voudriez pas un RAVISSANT hamster à la place de votre chat ?

Écarquillant les yeux, Frédérique ne lui cacha pas sa surprise.

— Vous ne savez pas quoi en faire ? Eh bien, pourquoi pas ? C'est toujours mieux que rien.

Juste au moment de franchir la porte, elle se retourna.

— La prochaine fois, comme sujet, je voudrais qu'on prenne l'amour.

— L'amour, répéta l'écho.

— Quand on rencontre un homme, comment on fait pour reconnaître que c'est le bon ?

Ce soir-là, Sauveur attendit que son fils soit au lit, les

hamsters juniors à la cuisine, Sauvé avec Gabin au grenier, il attendit encore d'avoir pris des nouvelles de Louise au téléphone, d'avoir lu celles du journal, il attendit d'être épuisé... pour décacheter l'enveloppe.

Cher monsieur Saint-Yves, je pensais vous revoir après ma TS et reprendre une psychothérapie avec vous, mais ça dérange tout le monde. Ça dérange Blandine qui a pris ma place, mon père qui est persuadé que je me suis coupé les veines juste pour vous appeler au téléphone, ma mère qui préfère qu'on me colle des antidépresseurs. Peut-être vous aussi, ça vous arrange parce que j'étais une patiente pas patiente. Je me souviens que j'ai pas mal crisé dans votre cabinet. De toute façon, je ne suis plus récupérable. Je croyais que j'étais la confidente de mon père, sa préférée, vous m'avez fait comprendre qu'il se servait de moi contre ma mère. Elle, tout ce qui l'intéresse, c'est que tout le monde dise que son ex est un pervers narcissique. Lui, tout ce qu'il veut, c'est prouver que tout est de la faute de maman. Ils me déchirent, ils ne le voient même pas. Je suis sûre qu'à mon enterrement ils s'engueuleront par-dessus mon cercueil. Ce n'est pas la peine de répondre à cette lettre.

Margaux Carré

Sauveur regarda l'heure à son téléphone. Minuit moins le quart. Puis ses yeux se posèrent sur la phrase : «À mon enterrement, ils s'engueuleront par-dessus mon cercueil.» La jeune fille s'imaginait morte. Elle imaginait le monde sans elle, mais parlant encore d'elle. «Pas la peine de répondre à cette lettre.» C'était un mot d'adieu comme en rédigent les suicidaires. Margaux allait passer à l'acte, et Blandine s'en doutait. Minuit. Tant pis. C'était son devoir d'appeler la mère de Margaux, ou ce serait de la non-assistance à personne en danger.

— Madame Dutilleux? Sauveur Saint-Yves. Je suis désolé de vous appeler à une heure si tardive.

À l'autre bout du fil, juste quelques borborygmes. Madame Dutilleux, qui prenait des somnifères, n'avait pas même l'air de savoir qu'elle tenait un téléphone entre ses mains.

— Je me permets de vous appeler parce que je suis inquiet pour Margaux.

— Mais c'est la nuit, non? bafouilla madame Dutilleux.

— Est-ce que vous pourriez aller vérifier dans la chambre de Margaux que tout va bien?

— Que tout va bien? Mais elle a éteint sa lumière…

— S'il vous plaît, pourriez-vous aller vérifier?

Soupirs, bruit d'objets qui tombent, gros mots, porte qui grince. Silence. Puis:

— Je viens de réveiller Margaux en sursaut! fit une voix très énervée au téléphone. Ça vous prend souvent, ce genre de lubies?

Sauveur dut se justifier en lisant quelques phrases de la lettre à madame Dutilleux.

— Mais tout de même, gémit-elle, je travaille demain. Tranquillisez-vous, je fais attention à Margaux. Les couteaux, les ciseaux, les cutters, je planque tout. D'ailleurs, elle a arrêté de se scarifier. Son psychiatre m'a dit hier qu'elle n'était plus dans une phase d'auto-agression, mais de rébellion vis-à-vis de nous. Il trouve très bon signe qu'elle ne cherche plus à nous faire plaisir avec ses résultats scolaires. Ne plus aller en classe quand on a une mère enseignante, c'est le top du top en matière de crise adolescente. J'aurai tout entendu !

— Et même un imbécile de psychologue qui vous tire du lit à minuit, désolé, dit Sauveur.

— Au moins, vous savez reconnaître vos erreurs.

— C'est ce qu'on dira à ma décharge. Bonne fin de nuit, madame Dutilleux.

Mais quel con ! se gratifia-t-il en éteignant sa lumière. Il s'était lui-même conditionné au pire en laissant monter l'anxiété pendant toute la soirée avant de se décider à lire la lettre. Pourtant, au moment où il sombrait dans le sommeil, il crut entendre la voix de Blandine qui lui demandait : «Vigilance, ça veut dire… ?»

*
* *

Louise regarda autour d'elle avec une certaine satisfaction. L'appartement prenait bonne tournure. Encore quelques tableaux à accrocher pour égayer ces murs blancs… et tout un tas de caisses, réduites à l'état de galettes de carton, à descendre à la poubelle. Elle en attrapa une brassée et, sortant sur le palier, croisa son peu aimable jeune voisin. Elle se fendit d'un sourire et d'un :

— Il va pleuvoir, on dirait.

— Mmeuh… fit le voisin, qui devait être une réincarnation de bovidé.

— Bonne journée, le salua-t-elle, avec l'endurance d'une personne qui a vécu plus de dix années avec un ronchon.

Il y avait cependant une chose que Louise ne pouvait endurer depuis qu'elle était petite fille. La cave. Sa mère, pour lui «faire le caractère», l'obligeait à descendre la poubelle un jour sur deux en alternance avec son frère. Louise en avait gardé la peur des zones souterraines, du parking d'Auchan au local à vélos. Elle avait beau, comme tout de suite, se répéter : «Ça te fera le caractère», elle aurait préféré passer son tour. Au moment de jeter les cartons, elle eut un sursaut d'effroi en entendant une voix derrière elle qui disait :

— C'est pas la bonne poubelle.

Elle se retourna, les cartons en bouclier contre sa poitrine, et ses yeux heurtèrent un regard azuréen.

— M… monsieur Jovanovic, marmonna-t-elle.

— Ma pauvre petite, je vous ai fait peur ? C'est mon cantonnement ici, quand il pleut des cordes.

Il parlait avec une douceur un peu rugueuse, comme quelqu'un qui fait des efforts pour ne pas effrayer une jeune fille. Avec sa galanterie de vieux militaire, il débarrassa Louise de ses cartons et les jeta dans la poubelle appropriée. Lazare avait vu juste : Jovanovic vivait dans la rue et il s'abritait parfois dans ce sous-sol, au 9 rue du Grenier-à-Sel.

– Je connais le code d'entrée, avoua-t-il en clignant des yeux.

Louise, qui avait beaucoup pleuré à la mort de son papy, proposa au gentil monsieur Jovanovic, qui le lui rappelait, de venir prendre le thé chez elle.

– C'est un honneur, fit-il en redressant son grand corps maigre. Mais je ne peux pas laisser mon barda.

Il lui montra un gros sac militaire, appuyé à la chaufferie. Comme il paraissait très lourd, Louise proposa timidement d'aider à le porter.

– Laissez donc ! Vingt ans de Légion, mon petit, lui répliqua Jovo. « Marche ou crève ! », c'est notre devise.

– Dans ce cas, marchons, fit Louise, passant devant lui.

Une fois dans l'appartement, Jovo regarda autour de lui avec le même air d'approbation que Louise l'instant d'avant.

– J'aime l'ordre, dit-il. Rien qui dépasse dans la chambrée !

– Et comme thé, de l'Earl Grey, ça vous ira ?

– Vous auriez rien de moins chaud ?

– Moins chaud ?

– Et un peu plus fort ?

– Oooh… fit Louise, se demandant soudain qui elle avait invité en tête à tête. Du rhum ?

– Ça ira. L'alcool, ça tue les vers.

Monsieur Jovanovic avait de solides principes d'hygiène. Louise posa sur la table une bouteille de La Mauny, que Sauveur lui avait rapportée de la Martinique et dont elle avait bu jusqu'à présent la valeur d'un demi-dé à coudre. Jovo s'en servit un bon demi-verre à moutarde, qu'il s'enfila d'une traite dans le gosier.

— Fi' de garce, conclut-il avec un claquement de langue, ça requinque un mort.

Cela remit en mémoire à Louise les dernières volontés de Jovo, écrites sur un bout de papier.

— Vous n'aviez pas perdu ceci ? dit-elle en lui tendant le vieux portefeuille.

— 'Fant de putain ! s'exclama-t-il. C'est vous qui l'aviez ?

Fi' de garce et 'fant de putain étaient les deux jurons que le gentil monsieur Jovanovic avait promenés de l'Indochine à l'Algérie, avec son revolver d'ordonnance et une mitraillette Sten, désormais enveloppés dans des sous-vêtements, au fond du sac militaire.

L'alcool lui déliant la langue, Jovo raconta sa vie à Louise. Né en Serbie d'une prostituée, abandonné en Belgique, enfant de l'Assistance en France, rejoignant le maquis à 15 ans, accordéoniste dans les bals à la Libération, garçon coiffeur, moniteur parachutiste, pompier volontaire, forain, coureur cycliste, engagé dans la Légion étrangère. Vingt ans au service de la France. Un poumon en moins. Puis des petits boulots, des dettes, la dèche, la rue. Louise aurait bien aimé prendre des notes, faire un beau portrait d'homme pour *La République du Centre*, mais elle sentait des réticences chez Jovo, des silences, des chagrins. De la pudeur.

— Et la photo ? osa-t-elle demander en ouvrant le portefeuille.

— La gamine ? La fille à ma sœur. Une gentille gosse. Je ne sais pas ce qu'elle est devenue.

Louise hocha la tête, faisant mine de le croire. Mais un homme comme Jovo ne gardait pas dans son portefeuille la photo de sa nièce.

L'ancien légionnaire ne se plaignait pas de sa vie présente. Il avait fait des « bêtises », dit-il, et il ne savait pas gérer l'argent de sa petite retraite, d'où le fait qu'après lui avoir coupé le chauffage et l'électricité son proprio l'avait mis à la porte. Dormir dans un sous-sol ou sur un banc ne l'incommodait pas, mais il se faisait du souci pour son fourbi ou son barda, comme il désignait son gros paquetage.

— C'est tout ce que je possède, mes vêtements propres et... quelques souvenirs. J'ai toujours peur qu'on me vole, surtout quand je dors. Même ici, il y a du passage.

Louise aurait bien proposé au vieil homme de garder pour lui son sac militaire, mais elle n'était qu'une femme seule avec deux enfants, et que penserait le voisin peu aimable s'il voyait trop souvent Jovo sur le palier ? Heureusement, à tout problème il y avait une solution qui s'appelait Sauveur. Elle parla donc à Jovo de monsieur Saint-Yves, psychologue en centre-ville, qui connaissait beaucoup de monde, assistantes sociales, responsables de foyers, bénévoles au Resto du Cœur, et qui...

— C'est votre bon ami ? l'interrompit Jovo dans son descriptif.

Louise fut un peu décontenancée par cette expression démodée.

— Vous avez raison, l'approuva Jovo sans attendre confirmation. Un bon ami, c'est beaucoup mieux qu'un mari. On est libres des deux côtés. Et jolie comme vous êtes, il en a pour son argent.

Monsieur Jovanovic avait aussi des principes moraux.

*
* *

Être une larve rose aux yeux clos, se disait Sauveur ce vendredi matin, penché au-dessus de la cage de madame Gustavia. Avoir un instinct de survie, mais ne pas savoir qu'on va mourir. Être un hamster de cinq jours. Ne pas porter sur ses épaules la responsabilité de Margaux Carré, d'Ella Kuypens, de Gabin Poupard, de madame Gervaise Germain, de la petite Raja Haddad... Alex et Charlie avaient décommandé leur rendez-vous de la fin d'après-midi, mais Pénélope Motin avait surgi de nulle part avec un nouveau problème qui « urgeait ». Vu sa désinvolture, Sauveur aurait pu l'envoyer promener. Mais la jeune femme lui demeurait indéchiffrable. C'était ce qui lui permettait de supporter son métier : la curiosité.

— 18 heures aujourd'hui, proposa-t-il à Pénélope. J'ai un rendez-vous qui a sauté.

Pénélope actionna le heurtoir en bronze de la porte d'entrée avec un quart d'heure de retard, et Sauveur lui fit savoir qu'il n'était pas son larbin.

— Mon quoi ? fit-elle de son ton outré.

Il haussa les épaules. Laisse tomber.

— Alors, que vous arrive-t-il ?

— Mon mec me trompe avec son ex.

— D'accord.

— Comment ça, d'accord ! explosa Pénélope. Vous trouvez ça bien ?

— Non, ça veut dire que je vous écoute.

— Ah oui, j'oubliais... Vos manies ! Mais qu'est-ce que je fais, moi, maintenant ?

— Oui, qu'est-ce que vous faites ?

— Je divorce ou quoi ?

— Parce que vous êtes mariée ?

— Mais oui. Je vous l'ai pas dit ?

— Pas jusqu'à maintenant. Vous avez eu une explication avec... Quel est le prénom de votre mari ?

— Mais je sais plus ! Je vous l'avais donné, vous l'avez pas noté ?

Regard fixe de Sauveur.

— Je ne me suis pas expliquée avec lui, reprit-elle. Mais il est sans arrêt au téléphone avec elle. C'est soi-disant pour parler de leurs enfants.

— Et il lui parle d'autre chose ?

— Non, mais bon.

— Mais bon ?

— Avant, il l'appelait qu'une fois de temps en temps, quand il était obligé.

— Avant quoi ?

– Avant que son ex se retrouve quelqu'un. C'est le genre de truc qui excite les mecs.

– Quel genre de truc ?

– Mais la compète ! Le truc du rival, ça lui donne un coup de neuf, à cette vieille peau ! Je suis sûre qu'il pense à elle quand il couche avec moi !

– Si je comprends bien, elle, elle n'est pas intéressée par son ex. Donc, votre mari ne vous trompe pas.

– En pensée. C'est encore plus vexant.

Sauveur essaya de la raisonner, mais elle n'en démordait pas : il la trompait. Plus il cherchait à lui démontrer qu'elle n'avait aucune preuve, plus elle s'énervait. Elle prédit qu'elle en mourrait, qu'elle le tuerait, puis envisagea de disparaître avec son bébé. Sa vie d'adulte était comme un vêtement XXL dans lequel elle flottait, risible et misérable.

– Ça serait bien d'envisager une thérapie conjugale, lui suggéra-t-il.

– Une quoi ?

– Une séance où votre mari viendrait.

– Mais tu rêves ! Je vais pas dire à Jé…

– Jé… ?

– … À Jérémy que je vois un psy. Il est contre !

– Mm, mm.

Les pièces du puzzle étaient en train de s'emboîter. Cette jeune femme qui gardait l'anonymat, cette jeune maman d'un petit A, mariée à un certain Jé, que la suggestion d'une thérapie conjugale affolait…

— Je comprends que vous ne souhaitiez pas me faire rencontrer votre mari… Pimprenelle.

— Pourquoi vous m'ap…

Puis elle resta sans voix.

— Au fond, poursuivit Saint-Yves sans se départir de son flegme, vous êtes jaloux de la même personne, votre mari et vous. Lui, parce qu'il est comme le chien du jardinier qui ne voulait pas manger les légumes du jardin, mais qui interdisait aux autres de les manger. Vous, parce que vous voudriez être quelqu'un comme madame Rocheteau…

Quand elle était venue au premier rendez-vous, Pimprenelle s'était déguisée en dame, pensant ressembler à Louise.

— Vous admiriez votre maman quand vous étiez une petite fille ?

— Tout le monde l'admirait, fit Pimprenelle en reniflant. On se retournait sur elle dans la rue.

Il y avait dans sa voix autant d'amour que de rancœur. Dans l'ombre de cette femme, elle n'avait pas pu grandir.

— Vous avez toujours votre maman ?

— Elle est morte quand j'avais 16 ans.

Elle pleurait. Sauveur lui tendit sa boîte de Kleenex.

— Vous allez me dénoncer ? fit-elle de sa pauvre voix orpheline.

— Vous êtes en thérapie, je suis tenu au secret.

— Vous l'aimez ? dit-elle avec un petit coup de tête en direction de la photo.

— C'est ma vie privée.

197

— Elle a de la chance, soupira-t-elle.

De la chance, songea Saint-Yves, de la chance parce que vous lui avez pris son mari, de la chance parce que vous lui avez détruit sa famille ?

— Mm, mm, fit-il seulement.

Puis il conseilla à Pimprenelle de faire une thérapie en son nom propre et avec une thérapeute.

— Je peux vous donner une adresse, dit-il en se dirigeant vers son bureau.

Sur le seuil de la porte, Pimprenelle posa la main sur la poitrine de Sauveur et tendit les lèvres vers lui dans une tentative de séduction.

— NON, dit-il de cette voix qui dit non aux enfants obstinés.

Le téléphone, qui sonna au même moment, les fit tressaillir.

— C'est elle, hein ? dit la petite voix jalouse.

— Ce qui compte, c'est vous, Pimprenelle. Mettez-vous au centre de votre vie.

Le téléphone sonnait, et Saint-Yves le laissait sonner exprès, sans montrer d'impatience.

— Chacun a sa chance, et vous méritez d'avoir la vôtre.

— Merci, dit-elle avec le sentiment, puisque le téléphone s'était tu, d'avoir eu le dernier mot.

Sauveur attendit que la porte claque derrière Pimprenelle.

— Louise ? Tu viens de m'appeler ?

— Excuse-moi. Ta séance n'était pas terminée ?

— Pas tout à fait. Tu viens demain avec les enfants ?

— Oui, et si ça ne t'ennuie pas, j'aimerais te présenter quelqu'un. Le vieux monsieur – très aimable – dont je t'ai parlé. Monsieur Jovanovic.

Le vieux monsieur était-il le grand-père de Frédérique, disparu sur un champ de bataille ? Sauveur ne pourrait rien faire, ni rien dire qui permît de le vérifier.

*
* *

Ce samedi matin, Youssef avait décidé d'accompagner Dina et Raja jusqu'à la porte du docteur Sauveur. Il ne devait plus laisser sa jeune femme marcher seule dans les rues. Bien sûr, il n'y avait plus les hommes du Califat, mais il y avait tout de même des hommes.

— C'est là, lui dit Dina. Tu veux saluer le docteur ?

L'air sombre, il fit non de la tête. Il ne comprenait pas les gens d'ici, même lorsqu'ils lui parlaient en anglais. Il jeta un regard à sa petite fille. Elle, il la comprenait. Elle avait peur, elle était triste, elle ne souriait jamais. Mais Dina ? Par moments, elle avait l'air heureuse ! Heureuse, alors que son frère Hilal avait été assassiné, et son corps laissé dans la rue ! Youssef ne comprenait plus Dina. Peut-être n'était-ce pas l'épouse qu'il lui fallait ? Elle était trop jeune. Mais c'était tout ce qui lui restait de son autre vie. Elle et trois petits enfants.

— Bonjour Dina, l'accueillit Sauveur. Mais dites-moi, ça vous va très bien, ce jean !

199

– *It's a gift*, dit-elle, comme pour s'excuser.

Youssef n'aimait pas ce pantalon trop serré, mais c'était la vieille institutrice, celle qui donnait les cours de français, qui en avait fait cadeau à son épouse. Avec son balayage miel, ses yeux étirés au khôl, son jean et sa peau ambrée, Dina était le plus charmant trait d'union entre l'Orient et l'Occident. Sauveur fit signe à la petite fille, toujours serrée contre sa maman.

– Viens voir, Raja, les bébés sont arrivés.

La fillette resta un moment, le souffle court, un peu effrayée par le tas mouvant des petits hamsters. Sauveur mit la cage en hauteur sur une étagère, et disposa papiers et crayons sur la table basse, invitant Raja à s'y installer. Sa maman dut la forcer à s'asseoir, puis se détacha d'elle en lui répétant qu'elle était là, tout à côté, sur le canapé. Sauveur la regardait faire, mère déjà expérimentée, jeune femme mûrie par les épreuves.

– Comment va Raja ? lui demanda-t-il.

À l'école, la fillette restait muette, isolée, barbouillant de noir toutes les feuilles de coloriage. Elle ne progressait pas et inquiétait la maîtresse. Mêlant l'anglais au français, Sauveur expliqua à Dina que sa fille souffrait d'un syndrome post-traumatique, et qu'ayant été témoin de scènes horribles et brutales, elle les repassait le jour dans son esprit et les voyait en rêve la nuit. Il existait une thérapie adaptée aux traumatisés, une reprogrammation des émotions par des mouvements oculaires. La personne traumatisée était invitée à évoquer ses souvenirs, que le thérapeute interrompait de temps à autre en déplaçant rapidement ses doigts devant le visage du patient. Celui-ci devait les suivre des yeux en gardant la tête fixe. Ce mouvement rythmique ressemblait à celui qui a lieu spontanément pendant les rêves. D'une façon qui restait encore mystérieuse, cette stimulation se répercutait dans le cerveau, très exactement dans la partie la plus ancienne qu'on appelle le cerveau limbique, et permettait de guérir le traumatisme. Sauveur souhaitait adresser madame Haddad et sa fille à un psychologue de l'Association française des victimes du terrorisme.

Dina avait écouté les explications en les ponctuant d'un grave « *I understand* ». Mais elle était déçue, car elle avait placé sa confiance dans le docteur Sauveur, et voilà que tout était à recommencer avec quelqu'un d'autre. De son côté, Sauveur, toujours prompt à se tourmenter, ne savait plus s'il adressait Raja à un spécialiste du trauma par conscience professionnelle ou pour récupérer son samedi matin.

— Avez-vous quelque chose à me demander ? conclut-il, la gorge un peu serrée, tendant à Dina les coordonnées de l'association.

— *No, thank you, Doctor, thank you for all.*

Tous deux se levèrent dans un même mouvement, mais Sauveur dut se rattraper au dossier de son fauteuil, car la tête lui tournait.

— Je garderai un hamster pour Raja, promit-il en s'approchant de l'enfant.

La fillette leva la tête en entendant prononcer son prénom. À la main, elle avait un feutre rouge. Les deux adultes découvrirent alors ce qu'elle avait dessiné tandis qu'ils se parlaient. C'était une route bordée de maisons. Sur la route, des bonshommes noirs en armes, et allongé au plein milieu de la feuille, un bonhomme étendu, bras en croix, du sang s'échappant en geyser de la base de son cou. Dina porta les mains à sa bouche pour s'interdire de hurler. Hilal! Hilal! Raja tendit son dessin au docteur Sauveur. C'était pour lui. *A gift.* Qu'est-ce que Youssef aurait pensé en voyant sa femme pleurer contre la poitrine de Sauveur tandis que sa fille s'était agrippée à son cou?

— Je vais m'occuper de Raja, dit Sauveur, s'efforçant de garder son sang-froid. Elle va guérir. Elle retrouvera la joie de vivre. Elle est très forte, et vous aussi.

Quand elles l'eurent quitté, Sauveur ouvrit le tiroir de son bureau, où il rangeait les dessins de ses petits patients, et Hilal assassiné alla rejoindre la vache verte au volant d'une voiture bleue qu'Élodie lui avait un jour dessinée.

Sauveur n'eut pas le temps de reprendre ses esprits car, de l'autre côté, Louise l'attendait déjà. Il attrapa la cage de madame Gustavia par la poignée et fut presque bousculé, en entrant dans la cuisine, par le jeune Paul qui s'écriait:

— C'est lequel, le mien?

— Comment ça, «le tien»? s'étonna Sauveur, clignant de l'œil en direction de Louise à défaut de pouvoir l'embrasser.

— Celui d'Alice, rectifia Paul, elle veut un mâle.

— Mais je veux rien du tout! se récria sa sœur, qui s'estimait d'âge à s'intéresser à un mâle, mais pas sous la forme d'un hamster.

— Si vous alliez vous disputer au premier étage? suggéra leur mère.

— J'ai pas envie de me disputer et j'ai pas envie d'être là, rétorqua Alice.

Louise aurait bien aimé répliquer comme tout parent normalement constitué : « Et tu as envie d'une claque ? » Mais c'était impossible en présence de monsieur Saint-Yves, psychologue clinicien.

— Tu viens voir comment j'ai installé le grenier? fit soudain Gabin, s'adressant uniquement à Alice.

— S'tu veux, marmonna-t-elle avec un mouvement de tête destiné à recouvrir ses boutons avec des mèches de cheveux.

Elle quitta la cuisine en compagnie de Paul et Lazare, et quand Gabin, pour les rejoindre, passa devant Sauveur, celui-ci lui fredonna : *« C'est si doux, le rendez-vous, hou, hou... »* Gabin le poussa de l'épaule.

— Tu pourrais dire merci quand je t'arrange le coup.

C'était la première fois qu'il tutoyait Sauveur.

Louise et Sauveur se retrouvaient enfin seuls dans la cuisine, et après avoir embrassé la jeune femme, Sauveur s'étonna qu'elle n'ait avec elle qu'un petit sac en bandoulière.

— On ne va pas pouvoir rester tout le week-end, soupira-t-elle.

Puis elle lui expliqua que, d'une part, Jérôme voulait désormais récupérer les enfants le dimanche matin et que, d'autre part, Alice ne voulait toujours pas dormir rue des Murlins.

— D'accord.

— Mais encore ? s'impatienta Louise.

— Tu veux un café ?

Sauveur avait besoin de prendre du recul. Il savait que la jalousie dictait la conduite de Jérôme, mais il ne pouvait pas se servir de ce que Pimprenelle lui avait dit en consultation. Il posa sur la table tasses, soucoupes, petites cuillères, sucrier, se concentrant sur chacun de ses gestes. La colère montait en lui, une colère d'homme et de thérapeute. Ce type, qui avait abandonné femme et enfants pour mettre enceinte une Pimprenelle déboussolée, n'empêcherait pas Louise de refaire sa vie.

— Je comprends le point de vue d'Alice, dit-il, s'asseyant en face de Louise. Elle est fatiguée de tous ces déménagements.

— On voit que tu ne vis pas avec elle. C'est un pilonnage de tous les instants.

— Tu devrais prendre un rendez-vous avec un dermato.

— Un dermato ? Quel rapport...

— Elle est persécutée par l'acné.

« Persécutée par l'acné » ? Mais qu'est-ce qu'il lui racontait ?

— Ce n'est pas une raison pour être odieuse avec moi.

Sauveur fit fondre son sucre en silence. Il aurait voulu signifier à une maman qu'elle ne savait pas prendre soin de sa fille adolescente qu'il n'aurait pas agi autrement.

— Tu sais toujours mieux que tout le monde, remarqua Louise, vexée.

Sauveur haussa un sourcil de surprise.

— Je te dis juste qu'Alice est complexée par ses boutons.

— Oui, et que je ne suis pas capable de m'en rendre compte.

Il posa la main sur le poignet de Louise.

— Je voulais aider, mais je m'y suis mal pris, désolé.

— Ce que tu peux être parfait ! répondit-elle en riant.

Mais elle était au bord des larmes, si vite fragilisée. L'instant d'après, elle était dans les bras de Sauveur, qui lui souffla à l'oreille :

— J'ai un canapé dans mon cabinet de consultation.

❖ ❖ ❖ *Espace réser...*

— Mais c'est quoi ? fit-il en se redressant, car des coups venaient d'être frappés militairement à la porte principale.

— Oh ! J'avais complètement zappé ! C'est le... mais tu sais, le vieux monsieur...

— Jovanovic ? Si tôt ?

Pan pan pan pan. Une nouvelle rafale.

— Meeerde.

Sauveur vérifia sa tenue, inspecta Louise du regard, lui

fit signe de boutonner le haut de son chemisier. Pan pan pan pan.

— Mais il va me défoncer la porte !

Sauveur se dépêcha de déverrouiller et trouva sur son palier Jovo avec son sac militaire au pied et son regard bleu drapeau.

— Ah, tiens, fit-il. Un nègre. Ton patron est là ?

— Oui, missié, répondit Sauveur sans s'émouvoir. Toi entrer. Moi chercher lui.

Jovo entra et jeta un regard courroucé à ce Noir qui se permettait d'être plus grand que lui. Il aperçut alors, sortant du cabinet de consultation, celle qu'il appelait en son for intérieur « la jolie petite », un peu décoiffée.

— Ah, vous êtes là ! fit-il, rasséréné. Il est où, votre monsieur Saint-Yves ?

— Mais… c'est lui, répondit-elle en désignant Sauveur.

— Lui, là ? balbutia Jovo, tandis qu'une tempête se levait dans son crâne.

La jolie petite ne pouvait pas avoir pour bon ami…

— Mais c'est un nègre, lui dit-il.

Louise lança un regard de panique à Sauveur. Qu'est-ce qu'elle avait encore fait ? Mais Jovo prit illico son parti de la situation.

— Bon. Tous les goûts sont dans la nature. Qu'est-ce que je deviens, moi, avec mon barda ?

L'idée initiale de Louise était de permettre au vieux légionnaire d'entreposer ses affaires soit dans la cabane de jardin, soit dans la cave de la rue des Murlins. Sauveur, faisant comme si rien n'avait modifié ce projet, attrapa le sac qui pesait trois tonnes et le chargea sur son dos. Une fois dans la cuisine, le légionnaire regarda autour de lui en faisant des mimiques admiratives.

— Ma maison vous plaît, monsieur Jovanovic? lui demanda Sauveur.

— Appelle-moi Jovo, mon gars, c'était mon nom à la Légion.

— Eh bien, moi, c'était Bounty à l'école primaire.

Jovo fit signe que «Bounty» lui convenait.

— Papa! fit une voix à l'étage. T'es en bas?

— Affirmatif! rugit Sauveur.

Puis se tournant vers Jovo, il le prévint gentiment:

— Attention, vous allez voir surgir un négrillon.

Semaine du 5 au 11 octobre 2015

La vie ne se déroulant jamais comme prévu, tout l'art de l'homme est de s'adapter. Ainsi philosophait Sauveur, buvant son troisième café du lundi matin et regardant la pluie tomber sur le jardin. Ce week-end avait sonné la débâcle de ses projets de famille recomposée.

Gabin avait occupé Alice pendant toute la matinée du samedi. Il lui avait fait écouter les Eagles of Death Metal, l'avait initiée à *World of Warcraft*, avait traumatisé Sauvé en l'extirpant de sa cage, etc. Au déjeuner, Jovo avait tenu la vedette. Il fascinait les garçons.

— Pourquoi on t'appelle Jovo, et pas Bosco ? voulut savoir le jeune Paul.

— Parce que Bosco est aussi le prénom de mon père, qui était un beau salaud de barbeau.

— C'est quoi, un barbeau ? demanda Lazare.

Jovanovic eut l'air de demander la permission de répondre à Sauveur, qui le fit à sa place :

— C'est quelqu'un qui force les filles à se prostituer.

— Prostituer ? releva Paul pour un supplément d'information.

— On verra ça plus tard, intervint Louise.

Jovanovic approuva d'un signe de tête. Ce n'était pas une conversation en présence d'une dame.

— Quel âge tu as ? demanda Paul, qui ressemblait à « l'enfant d'éléphant plein d'une insatiable curiosité ».

— Ça dépend, répondit Jovo. J'ai des papiers où c'est marqué 1929, d'autres 1932. C'est comme mon nom. Des fois, c'est Kerketz, des fois, c'est Jovanovic. Je prends ce qui m'arrange.

Louise constata bientôt que Jovo prenait aussi ce qui l'arrangeait quand il racontait sa vie. Cette fois, il n'était plus forain, mais épicier ambulant, il n'avait pas perdu un poumon à la guerre, mais il avait eu l'épaule transpercée par une balle, il avait fait seulement quinze ans de Légion, mais s'était ensuite vendu comme mercenaire au plus offrant. Il semblait à Louise que les zones d'ombre ne cessaient de s'étendre.

— T'as 87 ou 84 ans ! s'exclama soudain Paul, qui adorait le calcul mental.

Puis, ayant le sentiment d'avoir annoncé une mauvaise nouvelle à Jovo, il ajouta que la plus vieille dame du monde avait 120 ans.

— Oh, moi, lui répondit Jovo, encore deux-trois ans de cette vie, et je me tire une balle dans la tête.

Comme personne ne savait ce qu'il y avait dans le sac militaire, tout le monde crut que c'était une façon de parler. Après le déjeuner, Gabin fit savoir qu'il comptait rendre visite à sa mère à l'hôpital de Fleury, et Alice en profita pour déclarer qu'elle voulait rentrer rue du Grenier-à-Sel, ses livres et ses cahiers la réclamant d'urgence pour la première fois de l'année. Sentant venir la scène, Louise décida de partir avec Alice, laissant Paul chez les Saint-Yves.

— Mais votre père veut vous récupérer tous les deux demain matin.

— Oui, ben, mon père, c'est comme le père de Jovo, décréta Paul.

Silence incertain.

— C'est un beau salaud.

Ce fut Alice qui réagit la première.

— Ça va pas de parler comme ça ! Tu n'as pas le droit !

Louise comprit à ce moment-là que sa fille s'était rangée sous la bannière de son père. Après le départ de Gabin, Louise et Alice, l'ambiance devint morose.

— Allez, les boys, se secoua Sauveur, à vos trottinettes !

Paul râla un peu qu'il fallait toujours faire du sport ici, qu'on pourrait acheter une Wii quand même ! Mais dix minutes plus tard, il riait aux éclats en dévalant la rue des Murlins. Et qu'était devenu Jovo ? Il avait demandé à Sauveur l'autorisation de nettoyer le jardin.

— Je m'occupais de celui de mon colonel quand j'étais à Alger.

Lorsque les garçons revinrent de promenade par la venelle du Poinceau, ils constatèrent que Jovo avait abattu en deux heures un travail considérable. Plus de feuilles mortes, les arbres taillés, les rosiers tuteurés, la cabane à outils rangée. Sauveur ne put faire autrement que d'offrir à Jovo son dîner. Puis vint la nuit.

— Tu vas pas dormir dehors ? s'inquiéta Paul. Il pleut.

— Ça, mon petit gars, c'est ma vie. On paie ses fautes.

— Il y a la cave, suggéra le locataire du grenier.

— Ah oui, bonne idée ! s'enthousiasmèrent les deux garçons.

— Bounty va pas être d'accord, fit Jovo, coulant un regard vers Sauveur.

L'instant d'après, tout le monde était à la cave. Gabin se proposa pour l'aménagement du territoire, s'étant en quelque sorte déjà spécialisé. Il trouva un vieux tapis de sol, un coussin, une couverture.

— Il y a peut-être des souris, précisa-t-il.

— C'est elles qui auront peur, mon gars.

C'était ainsi que ce week-end, en lieu et place de Louise, Jovanovic, dit Jovo, avait pris pied dans la maison des Saint-Yves. Lui et son sac militaire bien garni.

Sauveur y pensait sans déplaisir en finissant son café. L'ancien légionnaire, machiste mais galant, raciste avec candeur, lui semblait un échantillon d'humanité tout aussi valable qu'un autre. Et inoffensif pour des enfants.

— Les Antilles, à présent, fit-il en s'étirant.

Il alla ouvrir la porte de la salle d'attente.

— Madame Germain !

– J'ai bien rempli ta grille, mais c'était prise de tête, ton exercice.

Gervaise avait dû s'asseoir tous les jours pendant cinq minutes, et sans le recours au napperon, sur un banc public, où pouvaient aussi s'asseoir des clochards ! Sur une grille, elle avait noté le taux d'anxiété ressenti (15 % : faible, 30 % : moyen, 50 % : fort, 70 % et au-delà : très fort) et la durée pendant laquelle cette angoisse s'était maintenue. Sauveur jeta un coup d'œil à la grille, qui donnait ceci :

JOUR	TAUX D'ANXIÉTÉ	DURÉE
Lundi à 13 h	50 %	1 heure
Mardi à 12 h	50 %	1/2 heure
Mercredi à 10 h	50 %	1/2 heure
Jeudi à 12 h	30 %	1/2 heure
Vendredi à 11 h	30 %	1/2 heure
Samedi à 14 h	15 %	20 minutes
Dimanche à 13 h	15 %	20 minutes

– Vous voyez, Gervaise, votre anxiété commence à céder. D'ailleurs, je constate avec plaisir que vous n'avez pas mis de napperon sur votre chaise aujourd'hui.

Tandis qu'il prononçait cette phrase, Sauveur eut le sentiment que madame Germain le regardait d'une façon un peu goguenarde.

– Qu'est-ce qui vous arrive ? Vous n'êtes pas dans votre état normal.

Elle se mit à rire bruyamment, mais peut-être pour cacher sa gêne.

— Ah, ah, tu es un voyant, toi aussi !

— Donc, il s'agit du voyant-guérisseur.

— Je ne lui avais pas demandé de le tuer, dit-elle, comme si Sauveur venait de l'accuser. Je lui ai seulement demandé de renvoyer le sort. Mais il l'a trop bien renvoyé.

— Qu'est-ce que vous me racontez ?

— Mon beau-frère est mort samedi.

Sauveur demeura un instant abasourdi. Non, il ne croyait pas à la magie. Mais parfois, certaines choses restaient mystérieuses…

— De quoi est-il mort ?

— Je sais pas. C'est quelqu'un qui me connaît et qui connaît aussi les Lempereur. Il m'a dit : « Ton beau-frère est entré à l'hôpital de Fleury et il est mort samedi. »

— Je me renseignerai.

— Ah non, non, je veux pas savoir.

Sauveur eut quelque difficulté à conclure la séance en proposant de nouveaux exercices à madame Germain. Pourtant, comme il l'avait dit à sa patiente, il devait continuer à séparer le quimbois du toc de propreté.

Malgré tout l'intérêt qu'il portait à quelqu'un comme Gervaise et l'attention avec laquelle il écoutait chacun de ses patients, le lundi était pour Sauveur la journée d'Ella, comme le mardi celle de Samuel, le mercredi celle de Blandine. Il ne pouvait s'empêcher d'avoir ses préférés.

— Ella ?

Ayant ôté son caban, elle arborait une marinière neuve bien ajustée, et Sauveur remarqua à quel point la jeune fille était aussi plate qu'un jeune garçon. Elle s'assit sur le canapé et regarda devant elle, l'air ennuyé.

— Des fois, je ne sais pas pourquoi je viens.

— Tu n'en vois pas l'intérêt, commenta Sauveur.

Elle rougit.

— Ça me fait plaisir de vous voir ! Mais il ne se passe rien dans ma vie. J'ai rien à raconter.

— Tu n'écris plus ?

— Ce sont des histoires, ce n'est pas ma vie.

— « La littérature est la preuve que la vie ne suffit pas », dit Sauveur, citant Pessoa. Que se passe-t-il en ce moment du côté de ton imaginaire ?

— Rien. Je tourne en rond. Je commence une histoire. J'abandonne. Je commence une autre histoire. J'abandonne. C'est l'histoire sans fin.

— Qu'est-ce qui t'empêche de continuer tes histoires ?

— Je vois pas la suite.

— Il n'y a pas de suite à ton histoire ?

— Non.

Elle donna un petit coup de pied dans son sac marin.

— C'est bloqué, dit-elle.

Comme l'était son développement pubertaire.

— Pourquoi tu n'écrirais pas ton journal ? lui suggéra Sauveur.

— Genre journal intime ? Mais c'est nul !

— C'est vrai qu'il ne nous arrive pas tous les jours des

choses extraordinaires, et c'est sans doute préférable. Mais on éprouve des émotions fortes, des sentiments complexes. L'exploration intérieure, c'est une aventure.

Elle ne répondit rien, mais un petit sourire, plutôt un rictus, passa sur ses lèvres.

— À quoi tu viens de penser ?

— Hein ?... Oh... à *Call of Duty*.

— Jimmy. Et alors ?

— Alors, rien. Il dit qu'il est amoureux de moi.

Elle étouffa un ricanement.

— Ça te fait quoi ?

— C'est un blaireau.

— D'accord, mais ça te fait quoi ?

— Je voulais vous demander un truc justement. Parce que je ne sais pas si c'est normal.

— Quoi donc ?

— Quand il me fait la bise le matin, j'ai envie de me laver les joues après. Je me sens sale.

— Sale, fit l'écho.

— Ça me dégoûte. Il me dégoûte. Je ne veux pas être dans sa pensée. Vous vous rappelez, un jour, je vous avais dit que je voudrais avoir l'anneau de Gygès. Être invisible. Il y a des gens, je ne veux pas qu'ils me voient. Qu'ils me regardent. Qu'ils pensent à moi. Je ne veux pas exister pour eux.

— On est dans le regard des autres, dans la tête des autres, dans l'imaginaire des autres, psalmodia Sauveur.

— Si un jour j'arrivais au collège et on me disait : Tu

sais quoi ? Jimmy a été écrasé par le bus, je me dirais juste :
Ah, super, il ne va pas m'embrasser.

Elle jeta un regard un peu alarmé à Sauveur.

— C'est parce qu'il t'impose quelque chose dont tu ne
veux pas, Ella. Son contact. Tu peux lui tendre la main le
matin. C'est la distance que tu veux établir entre lui et toi.

— Voilà, approuva Ella de tout son corps.

Sauveur se demanda s'il fallait poursuivre l'exploration,
demander à Ella si elle refusait le contact avec d'autres
personnes. Son père ? Les autres garçons ? Tout le monde ?

— J'aime bien quand les gens se trompent et me pren-
nent pour un garçon, dit-elle, répondant à sa façon aux
questions muettes de son thérapeute.

Le principal tort de Jimmy était sans doute de prendre
Ella pour une fille.

— De toute façon, conclut Ella, à partir de demain, je
lui serre la main, et c'est tout. J'ai bien fait de venir finalement. Souvent, ça me fait ça. J'ai pas envie d'être là
quand je suis dans la salle d'attente. Et quand je repars,
c'est comme si on m'avait enlevé un poids de cent kilos
sur le cœur.

— Remets-toi à l'écriture, lui conseilla Sauveur.

— Oui, j'ai eu une idée en vous écoutant.

Elle s'empressa d'ajouter qu'elle l'écoutait quand il
parlait, mais qu'en même temps elle pensait à autre chose.

— Et à quoi tu pensais ?

— Ce serait l'histoire d'une fille qui s'habillerait en
homme, mais plutôt au Moyen Âge.

Elle tournait toujours autour du même scénario, mais au lieu de s'incarner dans le chevalier Elliot, cette fois-ci, elle serait une fille déguisée en chevalier.

— Elle devrait vivre avec les hommes, faire des tournois, porter une armure, se battre à l'épée… Mouais, fit-elle, le ton critique, ça ressemble à Jeanne d'Arc.

— Ça pourrait se terminer de façon plus sympa ? lui suggéra Sauveur.

— Elle épouserait l'évêque Cauchon, ricana Ella.

— L'évêque Cauchon, répéta Sauveur.

— Vous savez ? Celui qui a fait brûler Jeanne d'Arc.

— Les hommes sont des cochons. Ça se dit, remarqua Sauveur, par association d'idées.

— C'est pour Jimmy ?

— Déjà que c'était un blaireau.

— Le pauvre !

Ils rirent. Blaguer est une façon de mettre à sa juste place quelque chose qui vous angoisse. Tous deux se serrèrent la main, les yeux dans les yeux.

— J'ai jamais envie de disparaître devant vous, lui dit-elle.

Sauveur s'aperçut après le départ d'Ella qu'il n'avait pas été question de Jack, le hamster qu'elle avait réservé. Peut-être ses parents ne voulaient-ils pas en entendre parler ? En soupirant, Sauveur attrapa la cage de madame Gustavia par la poignée et remonta le couloir avec le sentiment de traîner un boulet à son pied.

À sa grande surprise, quand il entra dans la cuisine,

il trouva Gabin, Jovo et Lazare en train d'éplucher des pommes de terre.

— Corvée de patates, lui dit l'ancien légionnaire.

— On va faire des frites ! se réjouit Lazare.

— Je n'ai pas de friteuse, lui objecta son père.

— J'ai une bassine en inox dans mon barda, dit Jovo.

— J'ai acheté de l'huile, ajouta Gabin.

La vie s'organisait au bivouac.

— Jovo nous a appris la chanson de la Légion, dit Lazare. Elle est trop marrante.

D'une voix haut perchée qui se voulait martiale, il chanta :

— *Tiens, voilà du boudin, voilà du boudin, voilà du boudin, pour les Alsaciens, les Suisses et les Lorrains. Pour les Belges, y en a plus. Pour les Belges, y en a plus. Ce sont des tireurs au cul.*

— Je... Je repars au boulot, fit Sauveur, un peu vacillant. Encore une séance, et je rejoins la troupe.

Les derniers patients de ce lundi étaient un couple de sexagénaires qui se mangeaient le nez. Dès qu'elle voulait raconter une anecdote, il l'interrompait. Sitôt qu'il se lançait dans une explication, elle parlait en surimpression. C'était une grinçante cacophonie, comme l'était devenue leur vie depuis que Monsieur, à la retraite, avait envahi le territoire de Madame. Dans sa tête, Sauveur se passait en boucle le refrain de la Légion : *Pour les Belges, y en a plus. Ce sont des tireurs au cul.*

Au dîner, ce soir-là, Lazare fit part à son père de l'excellente idée qu'avait eue Jovo pour faire des économies.

— On achète des poules et on les met dans le jardin, et comme ça, on a des œufs gratis.

— Sûrement, fit Sauveur.

— Tu vois, il est d'accord, fit Lazare, se tournant vers Jovo.

— Mais c'était ironique! corrigea Sauveur. Ça voulait dire: sûrement pas.

— Et pourquoi?

— Parce que les hamsters suffisent à mon bonheur.

— Oui, mais ils pondent pas.

— Tu n'en sais rien. On ne leur a jamais demandé, répliqua Sauveur, optant pour l'absurde dans lequel sa vie, de toute façon, était en train de sombrer.

*
* *

Madame Dumayet avait bien avancé dans *La Maison des petits bonheurs*.

— *J'ai passé une bonne, une très bonne journée,* lut-elle à ses CP-CM, *évidemment, il y a eu des petites ombres, mais c'était quand même une bonne journée.*

Ce moment de lecture à voix haute était le seul répit pour la maîtresse. Les enfants l'attendaient, et le silence se faisait enfin. Il était fréquent que l'un ou l'autre se rendorme, bercé par cette voix lectrice. Si madame Dumayet tenait bon pendant le reste de la journée, elle ne se faisait pas d'illusions, c'était grâce aux petits cachets prescrits par le docteur Dubois-Guérin. Monsieur Saint-Yves ne lui avait pas proposé de poursuivre une psychothérapie, et elle se demandait pourquoi. Peut-être la trouvait-il trop vieille pour qu'elle en tire un bénéfice ? Peut-être ne pouvait-elle plus changer ? Et cette idée la peinait. Parfois, elle s'identifiait à la tante Mimi de l'histoire, pleine de bonne volonté, et incapable de se faire aimer. Or justement, ce mardi, madame Dumayet lisait le passage où tante Mimi essaie d'acheter les bonnes grâces des trois enfants qui lui ont été confiés en leur distribuant des cadeaux à la volée.

— *«Tenez, c'est pour vous !» J'avais un porte-monnaie, Riquet, un sifflet, Estelle, une magnifique boîte de couture en cuir bleu, bien plus belle que nos deux cadeaux, mais ça ne fait rien. Riquet a tiré un coup de son sifflet, un petit coup mélancolique, et puis, il l'a mis dans sa poche ; mais Estelle, ravie, ouvrait, fermait sa boîte et en énumérait tous les trésors : les ciseaux, le dé, le passe-lacet… elle n'en finissait pas ! Est-ce que tante Mimi s'imagine que les cadeaux font tout oublier ?*

— Maîtresse, y a Raja, y a Raja qui…

Madame Dumayet soupira d'exaspération. Pas même une seconde de calme, une fois la lecture achevée.

— Qu'est-ce qu'il y a ENCORE, Jeannot ?

— Y a Raja qui a pris le feutre jaune !

Madame Dumayet s'approcha de la petite fille qui était en train de finir le coloriage de *La Reine des Neiges*. Elle avait habillé Anna d'un chemisier rose et elle lui fignolait une jupe jaune, au grand étonnement de son petit voisin.

— Oh, mais c'est très beau ! s'extasia la maîtresse.

Raja leva à peine la tête et lui adressa un sourire en coin, le premier de l'année.

— Hein, maîtresse, c'est mieux le… c'est mieux le… c'est mieux le jaune que le noir ? questionna Jeannot.

La fillette lâcha le feutre et, timidement, tendit le coloriage à madame Dumayet. *It's a gift.*

— Merci, Raja, tu me fais très plaisir. Tu as raison, Jeannot, le jaune, c'est mieux que le noir. Bien, les CM, on finit notre contrôle de maths ce matin.

D'habitude, le jeune Paul ne se faisait pas prier quand il s'agissait de calcul et de problèmes. Mais madame Dumayet vit qu'il restait inerte, le menton appuyé sur le poing.

— Eh bien, Paul, tu dors ?

— Oui, fit-il, sans y mettre d'insolence.

Il avait en effet passé une très mauvaise nuit. Quand il était chez son père, il était, selon ses dires, un SDF car le bébé avait pris sa chambre. Désormais, Paul dormait dans le living-room sur un canapé-lit. Outre qu'il n'avait plus aucune intimité, il entendait tout ce qui se passait alentour, notamment les conversations téléphoniques, puisque le poste fixe était dans le salon. Or, la veille au soir, vers 21 heures, alors qu'il lisait un vieux *J'aime lire* qui avait appartenu à Alice, le téléphone avait sonné. Quand il avait compris que c'était sa mère, il avait tendu l'oreille.

Maman, c'était l'amour de sa vie, c'était son secret tenu au chaud, sa brûlure et ses délices. Il ne fallait pas faire de peine à maman.

Louise s'était forcée à passer ce coup de fil. Elle savait qu'elle allait devoir lutter, et cette seule pensée lui donnait envie de pleurer.

— Pourquoi tu appelles à cette heure ? avait tout de suite dit Jérôme. Tu es libre toute la journée, non ?

Autant lui dire qu'elle ne fichait rien. Le cœur de Louise s'était emballé, mais elle savait qu'elle ne devait pas répondre aux provocations. Juste dire ce qu'elle voulait. Ce qu'elle voulait, c'était qu'on s'en tienne aux conditions de garde telles qu'elles avaient été définies devant avocat.

— Ah oui, et le bien-être de tes enfants, ça passe après ? lui avait-il répliqué.

Il s'était alors lancé dans des explications à la fois embrouillées et agressives, selon lesquelles il était spolié dans sa paternité, parce que LUI travaillait le samedi en tant que commerçant (il avait un magasin de photos et d'encadrement). Il voulait donc avoir ses enfants le dimanche. Et d'ailleurs, Pimprenelle ne pouvait pas s'occuper SEULE le samedi d'Alice, Paul et du bébé Achille. Elle était débordée. Donc, la logique, le bon sens, et l'amour des enfants exigeaient que Louise ait la garde TOUS les samedis et lui, TOUS les dimanches. En conséquence, le week-end disparaissait, ce qui était déjà le cas pour Jérôme puisqu'il prenait son congé hebdomadaire le lundi, jour de fermeture de son magasin. Louise recula d'abord devant ce flot de paroles houleuses, puis tint bon contre vents et marées, répétant : « Un week-end sur deux, c'est la règle. » Paul entendit alors son père qui traitait sa mère d'égoïste, qui lui parlait de ses « choix de vie douteux », des enfants qu'elle perturbait, etc. Quand il raccrocha, il rencontra le regard de son fils, qui lui hurla :

— Sauveur, il crie jamais comme ça !

Ce matin, Paul se disait que la cave avec Jovo serait pour lui un meilleur endroit que le canapé du salon chez son papa.

Alice avait un tout autre point de vue puisqu'elle avait sa propre chambre et que, depuis peu, Pimprenelle était sa copine. Elles avaient en commun trois intarissables sujets de conversation. En premier, YouTube.

— Tu connais Norman ?

— Tu regardes Cyprien ?

— Trop marrant.

— Trop mortel.

— Et le Joueur du Grenier ?

— Trop ci.

— Trop ça, etc.

En deuxième, les boutons.

— Ça ne marche pas, le dentifrice.

— Je t'emmènerai voir ma dermato. Elle est top.

En troisième, l'Autre, alias Sauveur Saint-Yves.

— C'est comment, chez l'Autre ?

Alice oublia ses réticences à trahir sa mère. Elle raconta

tout, Gabin dans son grenier, le légionnaire Jovo et son barda, l'invasion des hamsters. Sans le savoir, elle fournissait des munitions à son père, qui pouvait ensuite reprocher à Louise ses «choix de vie douteux». Quant à Pimprenelle, elle était rancunière. Sur le moment, quand elle avait quitté Saint-Yves, elle s'était sentie réconfortée parce qu'il lui avait dit: «Chacun a sa chance et vous méritez d'avoir la vôtre.» Mais elle n'avait pas fait dix pas dans la rue que la honte d'avoir été démasquée et la jalousie l'avaient submergée.

Il en avait été de même pour madame Cahen, le mardi précédent. Quand elle avait quitté Saint-Yves, la mère de Samuel avait encore dans l'oreille ses propos positifs: «Nous faisons des progrès, il faut continuer sur cette lancée.» Puis la méfiance lui était revenue. Cet homme voulait s'immiscer entre elle et son fils. Ce n'était pas ce qu'elle lui demandait.

— Samuel?

Le garçon, de nouveau seul dans la salle d'attente de son psy, se souleva à peine de sa chaise.

— Je vais pas pouvoir rester, dit-il.

— Comment ça?

— J'ai pas l'argent pour vous payer. Ma mère veut plus.

— Entre, entre. Il faut que tu m'expliques.

L'explication tenait en une phrase: madame Cahen s'opposait à la poursuite de la psychothérapie.

— Elle t'en a donné la raison?

— Oui : ça sert à rien. Je change pas. Je suis une grosse brute comme mon père. Et voilà.

— Mm, mm.

Sauveur savait qu'il lui était interdit de continuer la thérapie d'un mineur, même à titre gracieux, si l'un ou l'autre des parents s'y opposait. C'était la raison pour laquelle il avait dû « laisser tomber » Margaux. Son père, monsieur Carré, était venu lui dire en personne qu'il lui intenterait un procès s'il recevait encore sa fille dans son cabinet de consultation.

— Et toi, Samuel, tu penses que cette thérapie ne t'apporte rien ?

— Ah, si, si, ça m'aide.

— À quoi ?

— Je comprends mieux... le... les...

Il s'arrêta, regardant ses mains qui tournaient comme un petit moulin.

— L'enchaînement ? L'engrenage ? lui souffla Sauveur.

— Oui... Comment... j'en arrive à... à m'énerver, quoi.

— Tu ne sais pas ce qu'est devenu ton père ?

Son père ? Cette brute psychopathe, qui frappait sa mère, cet homme auquel il craignait de ressembler ? Samuel secoua la tête.

— Qu'est-ce que tu sais de lui ?

— Rien.

— Mais encore ? Tu sais quel est son nom ?

— André... André je sais plus.

— Si, tu sais.

— André Wiener.

— Qu'est-ce qu'il faisait ? Dans la vie ? Son métier ? Pas la moindre idée ?

À chaque question, Samuel secoua la tête, l'air de plus en plus hostile.

— Tu n'as jamais demandé à ta mère ?

— Mais si !… Mais non.

— Mais si mais non ?

— C'est pas agréable de s'entendre dire à chaque fois que « ton père, c'était un alcoolique, un dégénéré, il nous a abandonnés… ». Remarquez, des fois, c'est un peu contradictoire parce qu'elle dit aussi qu'elle l'a foutu dehors.

— Donc, tu n'as que la parole de ta mère pour savoir qui était ton père.

Samuel s'agita sur sa chaise.

— Je ne vais pas pouvoir rester. J'ai pas les 45 euros.

— Cela te tourmente de parler de ton père, commenta Sauveur.

— C'est surtout que je peux rien en dire !

— Tu aimerais en savoir davantage ?

— Pour apprendre qu'il a fini à l'asile ou en prison ? Non, pas vraiment.

— Et pourquoi aurait-il fini à l'asile ou en prison ?

— Parce qu'il était violent.

— Comme toi ?

Samuel resta un instant suffoqué et porta la main à son cœur.

— M... moi ? balbutia-t-il enfin.

— C'est bien ce que dit ta mère, non ? Que tu es violent comme ton père.

— Elle dit ça... C'est exagéré. C'est parce que je la pousse à bout.

— C'est toi qui la pousses à bout ?

— C'est aussi elle qui... L'un entraîne l'autre.

Il fit de nouveau son geste de moulinet.

— Mais tu sais ce que disent les gosses ? « C'est lui qui a commencé ! »

— Des fois, c'est moi. Des fois, c'est elle.

Samuel ne voulait pas faire porter à sa mère la responsabilité du déclenchement des hostilités. Sauveur tenta de lui faire reconstituer une scène d'altercation récente, mais Samuel résistait. Il ne savait plus, l'un disait un truc, l'autre répondait de travers, ça montait, et à la fin il la tapait ou il lui claquait la porte au nez.

— Donc, peut-être qu'avec ton père les torts étaient également partagés ? supposa Sauveur, cherchant à restaurer l'image d'André Wiener, ce père prétendument alcoolique et dégénéré.

Samuel resta quelques secondes dans l'incapacité de répondre. Quelque chose lui barrait la route. Une menace.

— Il ne va rien t'arriver, Samuel. Quoi que tu dises, quoi que tu penses, ici, tu es en sûreté. Je ne répète rien.

— Peut-être, fit-il en haletant d'angoisse, peut-être elle le poussait à bout... des fois.

— Peut-être, fit l'écho.

— Il est peut-être parti parce qu'il ne pouvait plus la supporter.

— Peut-être.

— Parfois, moi aussi, j'aimerais bien partir. Mais loin. Vraiment loin.

Hors d'atteinte.

— Putain, mais pourquoi je pleure ? fit-il, interloqué, en s'essuyant la joue.

Sauveur lui tendit sa boîte de Kleenex.

— Papa, balbutia Samuel en se frottant les yeux.

— Tu devrais parler de lui avec ta mère.

— Oh non, ça la rendrait folle ! Elle a tout détruit de lui. Toutes les traces. Son nom, je l'ai su parce qu'elle parlait au téléphone un jour avec quelqu'un, je crois que c'était une assistante sociale qui demandait des précisions sur la situation de ma mère pour savoir si elle avait droit à une prestation de je sais pas quoi. Ma mère s'est énervée, elle lui a dit un truc du genre : « Mon fils n'est pas né de père inconnu, je ne suis pas une Marie-couche-toi-là. Il s'appelait André Wiener... » Elle a même épelé le nom de famille. Elle ne savait pas que j'écoutais.

— Tu n'as pas tapé ce nom sur Internet ?

Mimique effarée de Samuel.

— Tu aurais pu le faire par curiosité, insista Sauveur.

— Mais non, c'était un dingue, protesta Samuel. Il est à la rue ou à la masse.

Sans un mot, Sauveur se leva et alla s'asseoir devant son ordinateur. Ce n'était pas un champion de l'informatique, mais taper un nom sur Google restait dans ses possibilités.

— *André Wiener*, lut-il. *En concert le samedi 17 octobre à l'auditorium du Louvre. Au programme, Schumann, Liszt et Bartók.* Tous ses concerts sont annoncés. Date et lieu.

Il tourna la tête vers Samuel. Le garçon avait l'air paniqué.

— C'est un pianiste de musique classique. Il y a une photo sur sa notice Wikipédia, poursuivit paisiblement Sauveur. Je dirais… la quarantaine. Pas une gueule d'ange. Mais pas non plus une tête de brute. Quelqu'un de compliqué.

Il continuait de cliquer tout en parlant.

— Beaucoup d'articles dans la presse spécialisée… Plusieurs CD à son actif. Ce n'est pas le premier venu.

Samuel avait fini par se décoller de son siège, mais il n'osait pas avancer jusqu'au bureau.

— Ce n'est peut-être pas lui. Juste un homonyme.

— Tu lui ressembles, dit Sauveur, faisant face au jeune homme. Tu ne veux pas regarder ?

Tout le poids de l'interdit maternel semblait le river au sol.

— Je m'en fous de lui… si c'est lui. Il m'a abandonné.

— Il a peut-être une autre version des faits. En tout cas, il est à portée de clic. À portée de train.

— Et je fais quoi ? Je débarque à l'entracte. Coucou, papa, c'est moi, ton fils, tu te souviens ?

— Et toi, tu te souviens ?

— Mais non, j'étais bébé.

Samuel commençait à réaliser que ce père alcoolique et dégénéré était une fiction.

— Ma mère a tout inventé alors ?

— Pas forcément. Ta mère est quelqu'un de lancinant, de harcelant. André Wiener a pu avoir des réactions... un peu vives.

— Comme moi.

Sauveur ne fit pas remarquer à Samuel qu'il avait une mère abusive pour circonstances atténuantes.

— Même si tu ne veux pas faire de démarche vis-à-vis de monsieur Wiener, reprit-il, cela te fera du bien de regarder ce que j'ai sous les yeux. Cet homme a sans doute des torts envers ta mère et envers toi. Mais l'image qui est là...

Il montra son écran, sur lequel le jeune homme n'osait toujours pas jeter un regard.

— L'image qui est là n'est pas dévalorisante pour toi.

Samuel ne pouvait pas s'y confronter. Il était presque en état de choc. Mais il promit à Sauveur qu'il le ferait.

— Je ne peux pas rester ton thérapeute, lui dit Sauveur, mais nous pouvons devenir amis.

Sur un post-it, il écrivit son numéro de téléphone personnel et le tendit à Samuel, qui l'empocha.

— Cet homme est ton père. Tu as un père, martela Sauveur. Pas un ange. Pas un démon. Un homme. C'est d'ailleurs ce que veut dire son prénom en grec. Andros. L'homme.

Il poussait Samuel vers son père. Mais peut-être l'envoyait-il au casse-pipe... Et à propos de casse-pipe, que devenait Jovo ?

Jovanovic cherchait à se faire une opinion sur les pékins de la rue des Murlins, où il avait été parachuté. À sa façon de vieux baroudeur, il était tombé amoureux de la jolie petite. Sa fragilité courageuse le touchait. Elle lui faisait penser à ces jeunes soldats sans expérience qu'on envoie se battre en première ligne. Il ne s'était étonné qu'un court instant de ce qu'un Noir soit son bon ami. Il était dans la destinée de Louise de faire toujours le mauvais choix, celui qui lui rendrait la vie difficile. Et que penser de Gabin ? Il aurait pu être bon pour le service, il avait le gabarit d'un légionnaire, mais c'était un tire-au-flanc. Il lui manquait quelques coups de pied au cul. Paul était un bébé, le vrai fils de sa mère. Donc, chaque cheveu de sa tête blonde était sacré. Lazare était malin comme un singe. Normal pour un négrillon, soit dit sans mauvaises intentions. Jovo n'avait pas remarqué Alice, elle se perdait dans l'ombre de sa mère. Jovo se posait aussi des questions sur la cave de la rue des Murlins : base durable ou campement provisoire ? À qui en référer ? Bounty était-il vraiment le chef ? À première vue, il n'avait aucune autorité sur la troupe. Mais il était peut-être de ces officiers qui gouvernent les hommes en se faisant aimer d'eux, comme le maréchal Lyautey qui disait : « J'aime qu'on me gobe. » Comment manœuvrer avec ce gaillard ? Là était l'ultime question.

Ce mardi midi, Jovo et Sauveur se croisèrent dans la cuisine.

— Je vous fais un café, chef ?

Sauveur constata que le légionnaire avait pris possession des lieux. Il avait accroché un petit miroir au-dessus de l'évier pour pouvoir se raser et acheté un gros pain avec un saucisson pour son déjeuner.

— Je veux bien un sandwich aussi, répondit Sauveur.

Il ne savait pas ce que Jovo faisait là, mais il était là, c'était un fait. Sauveur but et mangea sans un mot. Il avait besoin de ce temps de silence au milieu de sa journée de consultations. Jovo l'étudiait du coin de l'œil. Une armoire à glace, ce type, mais doux comme un mouton. Ayant fini son déjeuner, Sauveur se leva et dit :

— Rompez !

Jovo eut sa mimique d'approbation. Ce toubib psychologue vous entrait dans la tête comme un couteau dans le beurre. Il ne faudrait pas qu'il fouille le sac militaire.

Sauveur s'éloigna dans le couloir jusqu'à la porte-frontière, puis revint sur ses pas, s'avisant qu'il lui fallait une autre tasse de café. Il s'aperçut, en entrant dans la cuisine, que Jovo avait allumé une petite cigarette bien puante.

— On ne fume pas sous mon toit.

— Bien, chef, dit Jovo, écrasant sa cigarette dans son assiette.

Craignant d'avoir parlé sur un ton méprisant, Sauveur ajouta :

— Mais vous pouvez fumer dans la véranda.

Il repartit vers son cabinet de consultation, laissant Jovo libre de penser qu'il était décidément un mollasson.

*
* *

Les petits hamsters avaient dix jours. Ils étaient, hélas, toujours 7. Leurs paupières étaient visibles, mais les yeux encore fermés sous la membrane leur donnaient l'air inquiétant de petits malfaiteurs masqués avec un bas de Nylon. Un duvet commençait à les recouvrir, offrant toutes les nuances de beige, bronze, doré. Ils saisissaient à l'aveuglette entre leurs minuscules pattes roses un grain de maïs ou une graine de tournesol, qu'ils grignotaient interminablement. Quand leur mère quittait le nid, ils piaillaient pour la faire revenir et elle rappliquait, un peu agacée, les bousculant pour leur apprendre les bonnes manières. Tout cela était amusant à regarder, et Sauveur songeait à la phrase que disent les gens : « C'est à cet âge-là que ça devient intéressant », ce qui, selon les individus, peut désigner le bébé qui sourit aux anges ou l'enfant qui comprend l'accord du participe passé. Et moi, se demanda Sauveur, quand mes parents m'ont-ils trouvé intéressant ? Il avait été adopté par un couple de Blancs déjà âgés, qui avaient soufflé à sa mère, mourant en couches, ce prénom si lourd de conséquences. Sauveur. Lui qui avait conseillé à Blandine de ne pas porter un poids excédant ses forces, il avait fait très tôt du sport, puis de la musculation, comme s'il avait compris qu'il lui faudrait avoir le dos large.

– Blandine ?

Elle somnolait sur sa chaise. Elle ouvrit les yeux avec un soupir, et se traîna jusqu'au cabinet de consultation, son sac de classe raclant le plancher.

– La grande forme, à ce que je vois, fit Sauveur, à qui ce langage corporel était adressé.

Blandine sortit de sa poche un sachet déjà entamé de bonbons Haribo et, comble de la provocation, le tendit à son thérapeute. Sauveur piocha, dit « crocodile », et le fourra dans sa bouche. Blandine fit de même, dit « nounours », et l'enfourna. Puis ils se dévisagèrent tout en mâchonnant.

– Bon, c'est fait, dit Blandine, le ton détaché. Ma sœur est à l'hosto.

Sauveur faillit s'étrangler avec le crocodile.

– Comment ça ? Elle s'est ouvert les veines ?

– Nan. Elle a vidé l'armoire à pharmacie.

– Mais quand ?

– Pas cette nuit. La nuit d'avant.

– Dans la nuit de lundi à mardi, donc… Ça s'est passé chez ton père ?

– C'est toujours chez mon père, répliqua Blandine, comme si Margaux en était à sa douzième tentative.

– On lui a fait un lavage d'estomac ?

– Nan. Elle est sous surveillance. Elle dort beaucoup.

– Et qui a prévenu les secours ?

– À ton avis ?

Elle tendit de nouveau le sachet de bonbons à son psy.

Il en prit un, dit « œuf sur le plat ». Puis ce fut le tour de Blandine, qui tira un schtroumpf.

— Tu peux me raconter un peu ? la pria Sauveur.

Blandine ne dormait pas cette nuit-là. En allant faire pipi, elle était passée devant la chambre de sa sœur et avait entendu des bruits bizarres. Elle était entrée, avait allumé…

— Elle était en travers du lit avec la tête qui pendait. Et elle… bon, beurk…

Peut-être vomissait-elle ? Blandine ne voulut pas s'appesantir. Elle était allée secouer son père, qui lui avait d'abord dit de se recoucher.

— J'ai dû hurler dans ses oreilles : « Elle est en train de mourir ! »

Blandine, retrouvant son agitation d'autrefois, mima la scène. Son père se dressant en sursaut, la repoussant d'une bourrade, titubant jusqu'à la chambre de Margaux.

— Puis après, comme d'hab, le Samu, le brancard, la sirène, conclut Blandine.

Sauveur était atterré. La lettre de Margaux était bien une lettre de suicidaire, et c'était sa sœur qui avait monté la garde jusqu'au passage à l'acte. Combien de fois la chose se reproduirait-elle ? On allait encore parler de TS, dire : « C'est un appel au secours » ou même : « Elle cherche à attirer l'attention. » Blandine continuait de vider le sachet de bonbons, et Sauveur lui fit signe de ne pas tout garder pour elle.

— Merde, encore un croco, dit-il, presque sérieusement.

— Tu peux échanger. Tu veux une bouteille de Coca ?

— Oui, merci. Je ferai un saut à Fleury ce soir pour voir ta sœur.

— Mais c'est pas la peine ! Elle a un psychiatre très compétent et des parents qui sont vigilants.

— D'accord, fit-il, douché par la terrible ironie de Blandine.

Elle eut pitié de lui.

— On peut parler d'autre chose si tu veux.

— Oui ? De quoi ?

— De Pullip ? fit-elle sans conviction.

— Ah oui ! Je voulais te dire que je suis allé sur You-Tube. Qu'est-ce que c'est, ton pseudo ?

— MisfitPullip89.

— C'est toi ? 18 000 abonnés ? *Le Tueur derrière la porte* ? Elle sourit et se redressa sur son siège.

— Vous avez regardé ?

— Mais c'est génial ! *Jeu d'amour mortel* !

— J'ai coécrit le scénario avec Louna, dit-elle, le ton professionnel. On pense faire une saison 2. Mais là, on voulait faire un break. C'est trop de taf.

Enfin, Sauveur put avoir cette discussion sur l'avenir de Blandine, la Fémis, les métiers de scénariste ou de réalisatrice. Soufflant, soufflant sur la petite étincelle, il alluma un grand feu. Blandine s'animait, revivait, espérait.

— Tu as vu ? dit-elle, agitant le sachet sous le nez de Sauveur. On a tout bouffé !

— Tu aimes bien me narguer, hein ?

— Je vous aime bien tout court. Si j'épouse pas Louna, je prendrai un Black à la place.

— Ça fait plaisir de t'entendre dire des choses raisonnables.

Sur le pas de la porte, prise de remords, elle remarqua :

— On a oublié Margaux.

— C'est TA séance, Blandine.

Sauveur avait entendu mademoiselle Jovanovic s'installer en salle d'attente avec dix minutes d'avance. Peut-être pour réviser ses fiches avant de passer à l'oral, se dit-il. Le côté appliqué de la jeune femme le divertissait. Lui avait besoin de faire le vide dans son fauteuil pendant quelques instants, les paumes des mains appuyées sur ses yeux. Il entendit toquer à sa porte.

— Oui ? fit-il, un peu surpris.

Mademoiselle Jovanovic passa la tête par l'entrebâillement.

— Vous ne m'avez pas oubliée ?

— Mais non, c'est vous qui êtes en avance, fit-il, s'efforçant de ne pas montrer son mécontentement. En principe, je vais chercher le patient.

— Je m'excuse, dit-elle, à peine gênée. J'ai peur de ne pas pouvoir tout dire en trois quarts d'heure.

Sauveur lui fit signe de s'asseoir.

— J'ai beaucoup réfléchi à mon sujet cette semaine.

— À votre sujet ?

— Comment on peut reconnaître l'amour ?

— Vous savez, mademoiselle, une psychothérapie n'est

pas tout à fait un examen scolaire. Il vaut mieux laisser les choses venir librement à votre esprit pendant la séance. Ne rien préparer.

– Mais moi, je n'ai rien à dire quand je ne prépare pas.

– Quel est le sens de votre question ? Vous voulez des conseils ?

– Je voudrais savoir comment faire pour ne pas se tromper sur la personne.

– Vous connaissez l'histoire de cette jeune fille très romantique qui avait décidé qu'elle tomberait amoureuse d'un lord anglais dans un champ de marguerites ?

– Non.

Comme Sauveur se taisait, elle ajouta :

– Qu'est-ce qui s'est passé ?

– Elle est toujours dans le champ de marguerites.

Mademoiselle Jovanovic eut d'abord un petit rire sec, puis demanda s'il y avait un rapport avec son sujet.

– Peut-être pas, reconnut Sauveur. C'est ce qui m'est venu à l'esprit. J'imagine que vous devez contrôler ce que vous dites quand vous êtes avec vos clients à la bijouterie, avec votre patron, peut-être aussi avec votre mère. Relâchez-vous quand vous êtes ici, Frédérique.

Il utilisait pour la première fois le prénom de la jeune femme.

– Je déteste mon prénom ! réagit-elle avec une certaine violence.

– Frédérique ?

— Le « ique », c'est moche.

— Il y a un hic.

— Il y en a même deux. Frédérique Jovanovic.

— Mais il n'y en aura pas trois.

— Comment ça ?

— C'est ce que vous m'avez dit l'autre fois. Le hic s'est répété pour votre mamie, pour votre mère. Mais vous, vous avez fait une IVG.

— Et ça a un rapport avec mon prénom ?

— Je ne sais pas. C'est ce qui m'a traversé l'esprit.

— Mais alors, vous dites n'importe quoi ? fit-elle, ébahie.

— Je laisse aller.

— Ma mère déteste le laisser-aller. Quand je n'arrivais pas à me remettre de la mort de Filou, elle me disait : « Arrête de te laisser aller ! »

— Vous l'avez mise au courant pour votre IVG ?

— Oh non ! Pour elle, c'est un crime d'avorter. C'est pour ça qu'elle a été obligée de me garder.

— Obligée ?

— Quand j'avais 14-15 ans, un jour que je l'avais énervée, je ne sais plus pourquoi, elle m'a dit : « J'aurais mieux fait d'avorter. Pour ce que tu m'as rapporté ! »

— Comment vous vous entendez avec votre mère à présent ?

— Je suis chez elle parce que je suis obligée.

— Obligée ?

— Disons que ça m'arrange. Ça m'économise un loyer. Mais c'est affreux, cette conversation, gémit-elle. Je voulais qu'on parle de l'amour, et on parle de loyer ! D'ailleurs, je ne vois pas pourquoi je reste.

— Ici ?

— Non ! Chez ma mère ! À 29 ans ! Je ne risque pas de trouver le grand amour si je reste chez ma mère à me faire infantiliser : « À quelle heure tu rentres ? Qui c'est, ce Marc qui t'a appelée ? Tu ne vas quand même pas mettre cette jupe pour aller travailler ? » En plus, elle me sape le moral. Les hommes, c'est ci, c'est ça. L'amour tout feu tout flamme, ça dure à peine deux ans, etc.

La conclusion de la séance de mademoiselle Jovanovic, qui était venue disserter sur l'amour, fut qu'elle allait se chercher un studio, vite fait.

— En plus, je vais pouvoir reprendre un chat, se réjouit-elle. Ma mère est allergique aux poils de chat.

Exit le hamster. Sauveur ne s'en débarrasserait jamais. Il aurait dû les tuer à la naissance.

Sa journée étant terminée, il alla retrouver les boys. Pendant le dîner, Sauveur détailla Jovo, à la recherche d'une ressemblance avec mademoiselle Jovanovic. Il n'y en avait aucune, pas même un air de famille. Louise avait parlé d'une photo où Jovo tenait par la main une petite fille. Si c'était la mère de Frédérique, peut-être lui ressemblerait-elle ? Mais sous quel prétexte demander à voir cette photo ?

— Qu'est-ce que vous allez faire de tout ça ? lui demanda Jovanovic en fin de repas, désignant la cage de madame Gustavia.

— J'en ai placé trois, répondit Sauveur.

Un pour Raja. Un pour le petit-fils de madame Dumayet. Un pour Alice, qui n'en voulait guère, en réalité.

— Je vais me ruiner en cages parce qu'il faut séparer les hamsters avant qu'ils commencent à se reproduire entre eux...

— 7 cages ? fit Jovo avec une grimace.

— Mm, mm.

Comme Gabin s'apprêtait à regagner son grenier, Sauveur l'interpella.

— Demain matin, lever à 7 heures. Ton prof principal m'a envoyé ton emploi du temps. Tu as physique-chimie à 8 heures le jeudi.

— C'est pas les vacances, là ?

— Arrête avec ça. Ou madame Sandoz alerte les services sociaux.

— C'est qui, cette citoyenne ? demanda Jovo, la voix grondeuse, dans le style «Touche pas à mon pote».

— L'infirmière scolaire, lui répondit Sauveur, qui se sentit obligé de préciser : Quelqu'un de très bien.

— Papa, papa ! intervint Lazare sans le moindre à-propos. J'ai appris la suite du *Boudin*.

Les bras en balancier, il tourna autour de la table de la cuisine au pas lent de la Légion, chantant très virilement :

— *Nous sommes des dégourdis, nous sommes des lascars, des types pas ordinaires. Nous avons souvent notre cafard. Nous so-o-mmes des légionnaires.*

— Épatant, marmonna Sauveur, pulvérisé.

À 21 h 30, après extinction des feux, Sauveur se glissa dans le jardin, attrapa son vélo dans la cabane à outils et, passant par la venelle du Poinceau, fila jusqu'à l'hôpital de Fleury. Un peu d'exercice physique. Un peu d'air frais. Une belle nuit étoilée, une douceur insolite, et dans la tête un refrain : « *Tiens, voilà du boudin, voilà du boudin.* » Jovo n'était-il pas quelque chose comme une maladie contagieuse ?

— Bonsoir, Brigitte ! salua Sauveur, tout essoufflé.

— Qu'est-ce qui t'arrive ? fit en riant la jolie Antillaise de l'accueil.

— Manque d'entraînement. Dis-moi, j'ai une jeune patiente en psychiatrie. Margaux Carré.

Il mentait puisque Margaux n'était plus en thérapie avec lui. Mais c'était le seul moyen d'avoir quelque passe-droit.

— C'est l'ado qui a avalé des médicaments ? se fit préciser Brigitte. On ne peut pas la voir. Juste le psy et l'interne de garde.

— Mais ça va ?

— Oui, mais tu sais comment *ils* sont. *Ils* n'aiment pas les récidives. En plus, elle a utilisé les médicaments qui lui avaient été prescrits.

Sauveur regarda autour de lui à la recherche de quelque inspiration. Mais non, il était impuissant.

— Désolée, dit Brigitte. Je peux faire quelque chose d'autre pour toi ?

— Nn... Ah, si ! Samedi dernier, on a dû vous amener un Antillais. Un monsieur Lempereur. Il était du François. Il est décédé à l'hôpital.

Brigitte prit l'air navré de circonstance.

– Un parent à toi ?

– Lointain, répondit Sauveur, qui n'était plus à un mensonge près. Est-ce que tu pourrais savoir ce qui lui est arrivé ?

Brigitte alla chercher la réponse auprès de collègues infirmières qui étaient en salle de repos.

– Il est venu en ambulance, mais il a été dirigé vers le service de cancérologie. Il était suivi depuis trois ans pour un cancer de la prostate, tu n'étais pas au courant ?

Sauveur bafouilla que non, enfin un peu, mais pas vraiment, en tout cas, merci. Pédalant comme un fou sur le chemin du retour, il laissa échapper de temps en temps un petit ricanement. Il y avait presque cru, à cette histoire de mauvais sort retourné ! C'était tout au plus une coïncidence. La sonnerie de son portable lui fit faire un écart. Il sauta à bas de son vélo, évitant la chute de justesse.

– Louise ? Tu n'es pas encore couchée ?

Dans le trouble du moment, il venait de lui parler comme à son fils. Elle rit en protestant qu'il n'était pas 22 h 30. Sauveur rentra chez lui en pédalant doucement, tenant d'une main son guidon et, de l'autre, serrant contre son oreille la voix qu'il aimait tant. Ils se quittèrent à la grille du jardin. À quoi reconnaît-on l'amour ? À l'élasticité du sol sous vos pieds, au pétillement de l'air que vous respirez... « *Tiens, voilà du boudin, voilà du boudin* », fredonnait Sauveur en entrant dans la cuisine. Il éclaira les lieux avec son téléphone. La cage de madame Gustavia était restée sur la table, et Sauveur perçut tout de suite l'agitation du petit animal, qui allait et venait de façon désordonnée. Il s'approcha, s'accroupit et éclaira la cage. Dans le faisceau de lumière, apparurent un, deux, trois petits hamsters. Se redressant trop vite, fouetté par la colère, Sauveur eut un étourdissement et il dut s'asseoir un instant, une fesse sur la table. Puis il se releva, quitta la cuisine et se dirigea vers la porte de la cave. Tandis qu'il descendait l'escalier, il perçut, venant d'en bas, une lumière qui palpitait et sentit l'odeur d'une cigarette. L'homme était là, assis sur le tapis de sol, fumant à la lueur d'une petite bougie. Il écarquilla ses yeux d'un bleu candide.

– C'est vous qui les avez tués ? lui demanda Sauveur.

– Qui ça ?

– Les hamsters.

– J'ai bien vu que vous y arriviez pas.

– Est-ce que je vous ai demandé de faire ça ?

– On vous demande jamais de faire le sale boulot.

– Vous avez pensé à la réaction de Lazare demain matin ? Qu'est-ce que je lui dis ?

– Les hamsters ont mangé un truc qu'il fallait pas. Z'ont crevé.

Dans le monde de Jovo, les choses marchaient comme ça.

– Vous n'allez pas pouvoir rester chez moi, monsieur Jovanovic. Demain matin, vous partez avec votre barda. Compris ?

Jovo fit sa mimique admirative. Finalement, ce gars

savait commander. Dommage qu'il se mette la rate au court-bouillon pour quatre bestioles qu'on étouffait en fermant le poing.

Le lendemain matin, Sauveur alla de surprise en surprise. Quand il entra dans la cuisine – pour une fois le premier, parce qu'il voulait devancer Lazare –, il fut accueilli par une odeur de café. La table du petit déjeuner était mise, pain frais, beurre et confiture, une enveloppe au nom de Lazare, posée à côté de son mug Barbapapa. Sauveur comprit, sans prendre la peine de le vérifier, que Jovo était parti et que cette mise en scène était son adieu. Autre surprise de la matinée, Gabin entra, douché, habillé, en piste pour la physique-chimie. Sauveur, qui n'était guère capable de parler avant son troisième café, ne lui posa aucune question. Si Gabin s'était levé, c'était aussi à cause de Jovo. À six heures du matin, l'ancien légionnaire était monté au grenier et il avait secoué le jeune homme.

— Gabin, je dois te dire quelque chose.

Jovo lui avait avoué son forfait.

— Et Sauveur te met à la porte ? s'inquiéta Gabin, songeant à sa propre précarité.

— On paie ses fautes, mon gars.

— Mais tu croyais bien faire, non ?

Jovo avait eu au moins cette consolation de s'en aller, pardonné par le locataire du grenier.

— C'est quoi ? demanda Gabin en désignant l'enveloppe cachetée.

— Sais pas.

246

Quand Lazare entra, les deux autres déjeunaient en silence face à face.

— Je suis le dernier ? s'étonna Lazare. Il dort encore, Jovo ?

Pas de réponse. Mais Lazare était habitué au mutisme matinal de son père.

— Pourquoi y a mon nom sur la lettre ? dit-il encore.

Sauveur était un peu inquiet à l'idée du contenu. Il regarda son fils déchirer maladroitement l'enveloppe.

— C'est les paroles du *Boudin* ! s'exclama-t-il avec un sourire de satisfaction.

Le cadeau d'adieu du légionnaire.

— Lazare, j'ai une mauvaise nouvelle, dit soudain Gabin.

Sauveur regarda le jeune homme avec stupéfaction. C'était lui qui endossait la responsabilité des explications.

— Il y a des petits hamsters qui sont morts cette nuit. Ils ont dû bouffer un truc qui les a rendus malades.

Lazare se jeta sur la cage et compta les survivants.

— Trois ! dit-il, les yeux débordants de larmes.

Puis, faisant inconsciemment le lien, il s'écria sur un ton affolé :

— Il est où, Jovo ?

Gabin ne laissa pas à Sauveur le temps de répondre.

— Ben, tu sais, c'est un légionnaire. Il a besoin de bouger.

— Il est parti !

Lazare pleurait pour de bon. Son copain de la Légion.

— Mais il passera nous voir, intervint Sauveur.

Ou pas, songea Gabin. Ce vieil homme à la rue, combien de temps survivrait-il ?

Ailleurs, à Orléans, un autre jeune homme se préparait à partir pour le lycée.

— Tu as bu ton chocolat, minou ?

— Oui.

— Et alors, tu ne me fais pas un bisou ? Tu te trouves trop grand ? Tu sais, une maman, on l'a pour la vie…

Il embrassa sa mère sur les deux joues, passif et rétracté.

— Tu sens l'after-shave… Tu as quelque chose à raser ?

Elle eut un petit rire ambigu.

Samuel assista aux cours de la journée, pareillement passif et rétracté. Une seule chose — en deux mots — lui importait. André Wiener. Il ne s'était pas encore confronté à l'image de son père. Mais ce soir, il aurait le temps, n'ayant pas à craindre l'irruption de sa mère dans sa chambre. Le jeudi, elle finissait son service à la Brasserie du Martroi à 23 heures.

Lors de son ultime séance avec son psychothérapeute, celui-ci lui avait expliqué qu'on avait trois options lorsqu'on était devant une épreuve : combattre, fuir, ne rien faire. Selon le moment, il était judicieux d'adopter l'une ou l'autre de ces trois tactiques. À présent, il était 20 h 32. Samuel était devant son ordinateur, il avait tapé «André Wiener». L'image de son père était à portée de clic. S'il faisait ce premier pas, rien ne l'obligerait à faire le suivant.

Ainsi, à chaque embranchement, il serait placé en face des trois choix : combattre, fuir, ne rien faire. Il cliqua.

C'était l'annonce des concerts. Il nota ceux qui se déroulaient à Paris, le prochain avait lieu ce samedi à 18 heures à la mairie du IVe arrondissement. Monsieur Saint-Yves avait raison : André Wiener était à portée de train. Quant à la photo, Samuel savait qu'elle illustrait la notice Wikipédia. Combattre, fuir, ne rien faire ? De nouveau, il cliqua.

En voyant l'homme, il étouffa une plainte, tant c'était celui qu'il attendait. Un visage tourmenté à la chevelure romantique, des yeux de jais, et dans sa main, au bout de ses doigts artistes, une fine cigarette. En lisant quelques articles de presse, Samuel se rendit compte que Wiener était souvent comparé à un célèbre pianiste mort en 1970, Samson François. «André Wiener est un pianiste voltigeur, jamais à l'abri d'une chute, à qui l'inspiration du moment peut faire oublier de jouer les notes exactes... » On l'opposait souvent à tous ces pianistes «propres», à la technique impeccable, mais sans âme. Wiener avait ses fans, tandis que certains critiques musicaux lui reprochaient de prendre des libertés avec les partitions et d'accrocher un peu trop les notes. On le jugeait fascinant ou imprévisible, et plus Samuel lisait de choses sur celui qu'il commençait à appeler tout bas son père, plus il était touché, ému, bouleversé. Quand il regarda la vidéo d'un concert sur YouTube, où son père était seul en scène, lui qui n'avait jamais écouté de musique classique, il en eut des frissons.

— Papa.

La porte claqua à ce moment-là. Il avait oublié l'heure. Maman. Il éteignit l'ordinateur.

*
* *

Quarante-huit heures après le départ du vieux légionnaire, Sauveur faisait ce constat : les quatre petits hamsters ne lui manquaient pas, Jovo, si. Il l'avait chassé dans un mouvement de colère et en pensant qu'il protégeait les garçons de quelqu'un de dangereux. Mais Jovanovic n'était un danger que pour lui-même. À présent, il était à la rue avec son sac trop lourd. En cette fin d'après-midi, Sauveur se promit que le dimanche suivant il sillonnerait le quartier à vélo pour retrouver Jovo.

— Charlie ? Toujours seule ?

La jeune femme était dans la salle d'attente, les mains au fond des poches de son blouson de motard, l'air renfrogné. À cet instant, trois coups furent frappés à la porte d'entrée, et Alex entra. Cette fois, elles allaient s'expliquer.

Alors qu'elles avaient l'habitude de s'asseoir ensemble sur le canapé, elles prirent chacune un siège.

— Je suis content de vous voir toutes les deux, dit Sauveur.

Charlie fixait le bout de ses santiags.

— Eh bien, quoi de neuf ?

— Elle est enceinte, répondit Alex, désignant sa compagne d'un mouvement de menton.

– J'ai du retard, rectifia Charlie.

– Tu ne supportes plus l'odeur du café le matin, ça m'avait fait la même chose pour Élodie. Et tes seins ont grossi.

Sauveur en conclut qu'elles ne faisaient pas lit à part.

– Vous n'avez pas encore fait de test ?

– Elle n'en veut pas, répondit Charlie avec le même mouvement de menton pour désigner sa compagne.

– Du test ?

– De notre bébé.

– Ce n'est pas « notre » bébé, répliqua Alex, avec une colère rentrée. Tu l'as fait toute seule avec un type rencontré sur Internet.

– Je ne l'ai pas vu ! protesta Charlie.

– C'est pareil. Tu m'imposes un enfant de quelqu'un que je ne connais pas. Et mes deux grandes vont être folles quand elles le sauront !

– Alors, à cause d'elles, je ne pourrai jamais être mère ?

– Tu as trouvé cette « solution » pour ne plus chercher de travail. Mère au foyer !

– C'est dégueulasse de dire ça ! J'ai tout fait pour trouver un emploi !

– De toute façon, si tu le gardes, tu l'élèveras toute seule.

– C'est bien mon intention !

Encore un échange de cette nature, et l'une des deux allait quitter la pièce.

– Vous connaissez le conte hongrois de *La Petite Vareuse* ?

Les deux jeunes femmes regardèrent Sauveur, stupéfaites. Il avait posé sa question sur un ton déconnecté de la situation.

– La… quoi ? bredouilla Alex.

– C'est une histoire très sympathique… Il y avait dans un petit village de Hongrie un riche marchand et sa femme qui avaient une jolie fille à marier. Les prétendants étaient nombreux, et l'un d'eux fut agréé. On l'invita pour le dîner.

– Mais c'est quoi, cette connerie ? maugréa Charlie.

– Chut, fit Alex, qui avait toujours aimé les contes.

– Or, pendant le repas, le vin manqua. «Va en tirer au gros tonneau qui est dans la cave », dit le marchand à sa fille. La demoiselle descend à la cave avec une cruche et trouve le tonneau en question, juste à côté de la meule à presser la choucroute.

– La choucroute, répéta Charlie, larguée.

– Mais chut…

– Lorsqu'elle vit la meule appuyée au mur, la jeune fille se mit à penser qu'elle allait bientôt se marier, et dans quelque temps, Dieu lui donnerait un petit garçon. Un jour, elle irait à la foire lui acheter une vareuse, vous savez ? une de ces jolies petites vestes avec des broderies… L'enfant grandirait, deviendrait parfois un peu désobéissant, et irait même jouer à la cave.

Sauveur marqua un temps d'arrêt, puis ajouta sur un ton mélodramatique :

– Il jouerait autour de la meule, la meule en équilibre tomberait et l'enfant serait écrasé. Et alors, se dit la jeune fille, à qui donnerait-on la jolie petite vareuse brodée ? La question la remplit d'une telle tristesse qu'elle s'assit sur un tabouret et pleura.

Tout en racontant, Sauveur mimait la scène, retrouvant le plaisir ancestral de conter, celui du griot sur la place du village.

– Comme elle ne remontait pas, le père s'impatienta et se tourna vers sa femme : «Va donc voir ce que fait la petite. Elle a dû répandre du vin et elle n'ose pas nous le dire !» La bonne dame descend à la cave, trouve sa fille en larmes. «Mais qu'est-ce qui t'arrive, ma chérie ?» La chérie lui explique le drame, le mariage, le bébé, la vareuse, la meule. Effondrée, la mère s'assoit à côté d'elle et pleure.

Alex ponctua d'un petit rire cette péripétie. Mais le conte se poursuivait puisque le père descendait à son tour à la cave, se faisait expliquer le drame, et pleurait, lui aussi. Comme Sauveur interprétait chaque personnage, le récit fit rire Charlie, la renfrognée.

– Pour finir, le prétendant, qui n'aimait pas manger froid, descendit à la cave pour voir ce qui se passait. On le mit au courant, et il éclata de rire. «Je n'ai jamais vu de gens aussi bizarres ! Eh bien, tenez, si je trouve trois originaux comme vous en voyageant à travers le monde, je reviendrai épouser votre fille. Mais pas avant !» Je vous passe les détails de cet intéressant road movie hongrois. Le prétendant rencontra bel et bien trois imbéciles.

Sauveur se tut, comme si l'histoire s'arrêtait là.

— Et il est revenu épouser la jeune fille ? voulut savoir Alex.

— Le mariage eut lieu. Un petit garçon naquit. On lui acheta une jolie petite vareuse avec des broderies. Le petit garçon grandit, il joua à la cave, la meule ne tomba jamais, et mon conte est terminé.

— Mais… heu… balbutia Alex.

— Est-ce que je peux utiliser vos toilettes ? demanda soudain Charlie.

— La porte à côté de la salle d'attente.

Charlie sortit de la pièce et Alex, qui s'était ressaisie, exigea de savoir pourquoi leur thérapeute avait raconté cette histoire idiote.

— Vous la trouvez idiote ? fit Sauveur, l'air un peu peiné. Vous ne voyez pas qu'on passe les deux tiers de notre existence à se faire du souci pour des choses qui n'arriveront jamais ?

— Ah, c'est ça, le sens de…

Mi-rêveuse, mi-contrariée, Alex se tint silencieuse jusqu'au retour de Charlie. Quand celle-ci revint, elle se planta en face d'Alexandra, les mains dans les poches de son blouson.

— Je ne suis pas enceinte.

Alex jeta d'abord un regard incrédule à Sauveur. Puis elle se leva et prit Charlie dans ses bras.

— Je te demande pardon pour ce que je t'ai dit tout à l'heure.

La séance était terminée et elles pouvaient reprendre le cours de leur vie.

Ce soir-là, Sauveur tendit une enveloppe à Gabin au moment du dîner en lui disant :

— J'espère que ce n'est pas encore l'administration de ton lycée.

Le visage du garçon s'éclaira. C'était son billet pour le concert des Eagles of Death Metal. Il chanta de sa voix de tête : « *I only want you, I only want you.* » Sauveur fronça les sourcils.

— C'est à Paris, ton concert ?

— Mais oui, je t'en ai déjà parlé. J'y vais pas tout seul, je serai avec mon copain loup-garou. Promis, on fera pas de conneries !

Sauveur hésitait. Bientôt 17 ans : fallait-il l'accompagner ? Gabin ne connaissait pas Paris, il pouvait se perdre dans le métro, faire de mauvaises rencontres, traîner où il ne fallait pas, rater le dernier train. Allons, se raisonna Sauveur, je joue à la petite vareuse, moi aussi !

*
* *

Jérôme, lui, avait joué au père responsable pendant toute la semaine où il avait eu la garde de ses enfants, leur répétant qu'il voulait « les suivre de plus près », et « être là pour eux » le dimanche et le lundi.

— Mais le lundi, je peux pas être là pour toi, j'ai école,

lui avait fait remarquer Paul, dont la naïveté ressemblait à de l'insolence.

— On t'a pas sonné, l'avait mouché sa sœur.

Elle faisait semblant d'être du côté de son père. En réalité, cette histoire de week-end coupé en deux lui prenait la tête.

Le samedi matin, à 9 heures, Jérôme les déposa devant le 9 rue du Grenier-à-Sel, leur donnant rendez-vous au même endroit pour le lendemain, même heure.

— On ira au Burger et au cinéma. Il y a des super films en ce moment.

Il oubliait un détail : il n'avait pas prévenu Louise.

— Qu'est-ce qui se passe ? s'affola-t-elle, en voyant débarquer ses enfants.

Alice, hostile et mal réveillée, ne lui répondit rien. Paul se mit à sautiller en tirant sur le bras de sa mère.

— Il est où, Bidule ? Il est où, Bidule ?

— Mais arrête ! s'écria-t-elle. Tu vas me démancher le bras !

Il s'immobilisa, traversé par l'horrible soupçon qu'il était passé dans un univers parallèle, où sa maman était remplacée par une méchante mère.

— Tu veux m'expliquer pourquoi vous êtes là ? demanda Louise à sa fille.

— Mais c'est papa ! Il ne t'a pas dit le truc du samedi et du dimanche ?

Louise n'en revenait pas. Il avait jeté ses enfants à la rue.

— Et si je n'avais pas été à la maison, vous faisiez quoi ?

— Oui, bon, tu es là, grommela Alice. Et moi, je me recouche. J'ai mal à la tête avec toutes vos histoires !

— Mais ce ne sont pas MES histoires ! se récria Louise. C'est ton père qui...

Alice ne voulait rien entendre. Marre, marre, marre. Elle partit s'enfermer dans sa chambre.

— Maman ? murmura Paul, avec le fragile espoir qu'elle l'aimait encore.

— Quoi ?

Au même moment, elle se vit dans la glace de l'entrée, en jogging, cheveux et teint en berne, mais l'œil étincelant de rage. Elle qui, il y a encore quelques mois, trouvait injuste d'être privée de ses enfants une semaine sur deux, elle se mettait en colère parce qu'ils arrivaient à l'improviste.

— Excuse-moi, Paul, dit-elle, en l'attirant contre elle. On va se faire un chocolat chaud, et je te lirai des histoires sous la couette.

— Avec Bidule ?

— Oui, rien que nous trois.

Disant cela, elle songea qu'elle devait annuler le déjeuner en amoureux, programmé avec Sauveur. Car, si Gabin avait accepté d'emmener Lazare au McDo, il ne voudrait sans doute pas jouer aussi les nounous pour Alice et Paul.

— Allô, Sauveur ? Je ne te déran...

— Je suis en rendez-vous, lui souffla la voix de l'autre côté.

257

— Excuse-moi, je rappellerai.

Il entendit la fêlure dans la voix de Louise et lui demanda ce qui se passait.

— Rien. Je t'expliquerai.

Il raccrocha, un peu perturbé, et fit effort pour revenir à sa séance du samedi matin avec madame Haddad et sa fille.

— Donc, la maîtresse est contente de Raja ?

C'était la grande nouvelle du jour. La petite fille commençait à participer en classe, elle feuilletait les albums de la bibliothèque, elle écrivait son prénom, elle s'était fait un ami.

— Comment il s'appelle, ton ami ? lui demanda Sauveur.

Blottie contre sa mère, Raja fit quelques manières avant de prononcer le nom de Jeannot. Madame Haddad, quant à elle, avait reçu des propositions de travail : un enfant à garder après l'école et quelques heures de repassage à faire chez elle. Par ailleurs, ses progrès en français étaient fulgurants.

— Vous êtes formidable, la complimenta Sauveur en toute sincérité.

Elle parut à la fois heureuse et peinée.

— Youssef pense pas le même, dit-elle.

Son mari souffrait de la voir s'adapter si vite. Il lui semblait que Dina reniait son pays, ses origines, les siens, ceux qui étaient restés, ceux qui étaient morts, leur passé, leurs malheurs.

— Ce serait bien que Youssef parle avec vous de ce que

vous venez de vivre, lui suggéra Sauveur, et puis de l'avenir, de votre avenir. On pourrait en parler ici.

— Ici?

Le visage de Dina, aux sourcils très mobiles, était un livre ouvert. Elle ne voulait pas de Youssef dans ce lieu.

— Ici ou ailleurs. Pour avancer ensemble.

Des deux mains, Sauveur traça dans l'air une route puis, les écartant l'une de l'autre, en fit deux chemins divergents. Dina fit signe qu'elle comprenait, mais elle prit le rendez-vous suivant pour sa fille et elle.

Dès qu'elles furent parties, Sauveur rappela Louise, dont la pensée ne l'avait pas quitté. La jeune femme était au lit avec Paul et Bidule, qui gambadait sur la couette. Une fois de plus, elle se décommanda, et Sauveur revit son geste des deux chemins qui se séparent.

— Est-ce que je peux faire un saut à vélo chez toi cet après-midi? dit-il.

— Viens pour le café.

Sauveur avait l'intention de fouiller le quartier à la recherche de Jovo, mais cela, comme le reste, il le garda pour lui.

— Maman, fit Paul à ce moment-là, j'ai perdu Bidule dans le lit!

Louise aurait aimé prolonger la discussion avec Sauveur, mais Paul soulevait la couette et les oreillers, s'affolant de ne plus trouver son hamster.

— Je n'en peux plus de ce Bidule, gémit Louise, c'est pire qu'un troisième enfant!

259

Elle qui, quelques mois auparavant, souffrait d'avoir été privée d'une troisième maternité…

Et qu'était devenu Jovo ? Sauveur ne le retrouva pas en parcourant le quartier à vélo, mais la boulangère, place de l'Ancien-Marché, lui donna des nouvelles.

– C'est le vieux qui passe des heures sur le banc ? Il était là hier après-midi. Je l'ai remarqué parce qu'il avait l'air bien esquinté.

– Comment ça, esquinté ?

– Il avait un gros coquard. Il ne pouvait plus ouvrir l'œil.

Semaine du 12 au 18 octobre 2015

— Sans les gants ? s'étonna Sauveur en ouvrant la porte de sa salle d'attente, ce lundi matin.

Gervaise chantonna : *«Ainsi font, font, font les petites marionnettes»* en agitant ses deux mains dégantées. Sauveur lui tendit la sienne, et là, madame Germain marqua un temps d'hésitation.

— J'ai tous mes vaccins, Gervaise, et pour ce qui est du noir, je vous rassure, ce n'est pas de la crasse, c'est ma couleur d'origine.

Elle rit et accepta la poignée de main.

— Alors, ça va mieux ? dit-il en s'asseyant en face d'elle.

— Trois quarts d'heure pour la douche.

— Vous allez faire des économies, et au lieu d'être une personne atteinte d'un toc, vous serez seulement quelqu'un d'un peu maniaque.

— Et je n'ai plus mes douleurs dans le dos et dans les jambes. Mais je sépare, je sépare.

Madame Germain faisait allusion au quimbois. Elle était persuadée que, son beau-frère étant mort, elle allait mieux se porter, ce qui se produirait si une partie de ses maux avait une origine psychosomatique. Aussi Sauveur jugea-t-il préférable de la laisser croire ce qu'elle voulait.

— Il y a une chose qui m'ennuie, reprit-elle. À toi, je peux le dire parce que tu es de Sainte-Anne et tu connais tout ça.

Elle baissa la voix.

— Ce n'est pas ma faute parce que je n'avais pas demandé sa mort. Mais quand même, j'ai fait le... tu vois ce que je veux dire ?

Sauveur la regarda, les yeux ronds, cherchant à comprendre.

— Vous avez fait le quoi ?

— Mais tu sais, le contraire de ce qui est bien ?

— Mal ?

Elle fit le signe de croix.

— Vous avez fait le mal ?

— Mais on ne dit pas le mot ! le rabroua Gervaise en se signant. Et même, je ne dis plus les mots où il y a le mot dedans, tu comprends ?

Sauveur essayait de suivre les méandres dans lesquels se perdait madame Germain.

— Vous ne dites plus quoi ? Les mots où on entend le son « mal », c'est ça ? Malheur. Malchance. Malhonnête.

Tandis qu'il égrenait sa liste, madame Germain faisait des signes de croix rapides.

— Et il faut que je déménage, dit-elle d'une voix penaude.

— Mais quel rapport...

Il se souvint alors avoir noté l'adresse de madame Germain. Elle habitait rue Malherbe.

— Madame Germain, dit-il un peu solennellement.

— Oui ?

— Vous êtes en train de développer un nouveau toc.

— Ah non, non, je sépare. Ça, c'est le quimbois.

— Non, Gervaise. C'est un toc.

— C'est le quimbois.

— C'est un…

Il s'arrêta. Puis :

— Madame Germain, savez-vous de quoi est mort votre beau-frère ? Il est mort d'une longue maladie (elle se signa) qui n'a aucun rapport avec un retour de sort. Vous n'êtes donc pas responsable de ce qui lui est arrivé.

— Et puis, dit-elle, n'écoutant pas Sauveur, dès que je pense à un mot avec le mot dedans, je dis trois fois : « Bon Dieu, protégez-moi », et ça s'en va. Mais ce qui m'ennuie, c'est que les mots avec le mot dedans me viennent tout le temps à l'esprit maintenant. Je dois dire : « Bon Dieu, protégez-moi » toute la journée.

— Trouble obsessionnel compulsif, marmonna Sauveur. Écoutez, Gervaise, on va déjà finir de soigner votre toc de propreté. Je vais vous redonner des exercices à faire.

— On sépare ?

— Voilà, on sépare, répéta Sauveur.

Tandis qu'il envoyait mentalement sa patiente à tous les diables, son téléphone sonna.

— Monsieur Saint-Yves ? Madame Kuypens, la maman

d'Ella. Je voulais vous prévenir qu'elle ne viendra pas aujourd'hui, elle est malade.

— Qu'est-ce qu'elle a ? demanda-t-il, le ton méfiant.

Il savait que le père d'Ella n'était pas partisan de cette thérapie.

— Une gastro.

— Elle a de la fièvre ?

À part des vomissements, elle n'avait pas d'autres symptômes.

— Il y a une épidémie au collège.

Sauveur faillit lui répliquer : une épidémie de phobie scolaire ? Mais à distance, il ne pouvait savoir de quel trouble il s'agissait. Il se contenta de reprendre un rendez-vous pour le lundi suivant. Mais il était contrarié. Un lundi sans Ella n'était plus tout à fait un lundi.

Sauveur avait raison de se méfier. La gastro était une crise d'angoisse. Tout avait commencé le mardi précédent avant la première heure de cours. Lorsque Jimmy s'était avancé vers elle pour l'embrasser, Ella lui avait tendu la main. Il avait regardé le bras qui semblait mesurer la distance entre leurs deux corps.

— J'embrasse pas, avait-elle bafouillé.

Le restant de la journée, il avait paru l'ignorer. Mais cette main tendue, qui en réalité le repoussait, l'avait profondément humilié.

Or Jimmy n'était pas seulement un amoureux éconduit. C'était aussi un garçon perturbé, qui avait souvent été exclu par ses camarades de classe. Il avait jeté son dévolu sur Ella en ce début d'année scolaire parce qu'elle jouait à *Call of Duty*. Puis il s'était imaginé que les moqueries dont elle était victime la rapprochaient de lui. Ayant pris sa défense, il attendait d'elle de la reconnaissance. Il était devenu, via Facebook, son ami. Pourquoi pas son petit ami ?

Il avait remarqué qu'elle faisait parfois le trajet à pied entre le collège et sa maison. Cela faisait partie de son entraînement sportif. À deux reprises, il l'avait suivie, et elle était tellement absorbée dans ses rêveries qu'elle ne l'avait pas aperçu. Ce qui aurait pu n'être qu'un jeu était le début d'une fixette. Jimmy s'était mis à penser à elle jour et nuit. Il avait obtenu son numéro de portable, il avait trouvé son adresse et rôdé autour de sa maison. Il se faisait des films entiers avec elle, mais n'osait rien de plus que les deux bisous du matin. Il lui avait tout de même proposé de sortir avec lui, mais elle n'avait pas répondu. Puis il l'avait bombardée de SMS : **T tro bel** ou bien **J T'♥**, mais en classe, il évitait de lui parler et ne s'asseyait pas à côté d'elle. Il savait au fond de lui qu'elle ne l'aimait pas. Peut-être même avait-il flairé qu'elle avait peur de lui. Il ne faisait donc rien qui puisse justifier de la part d'Ella une réaction d'hostilité. Pourtant, ce mardi 6 octobre, elle l'avait, selon lui, agressé, et la fixette amoureuse était devenue haineuse, comme un gant qu'on retourne.

Le mercredi après-midi, il était revenu hanter les abords du domicile des Kuypens. Les 4e A n'avaient pas cours, et Ella était à la maison, débarrassée des parents et de la sœur aînée. Libre. Libre d'être Elliot. Elle avait dissimulé sa veste noire, sa chemise blanche et sa cravate rayée tout au fond de sa penderie. Elle s'était acheté cette garde-robe alternative avec son argent de poche, économisé mois après mois, et sans en parler à quiconque. Elle avait étrenné sa tenue masculine dans le cabinet de consultation de son psy. Or ce mercredi, il faisait un temps printanier. Ella décida de sortir déguisée en Elliot et d'aller se promener dans les allées du parc voisin.

Un coup d'œil dans le miroir de sa chambre amena sur ses lèvres un sourire de pur contentement. Sa silhouette était celle d'un garçon un peu dandy, depuis les tempes rasées jusqu'au bout des souliers vernis, en passant par les hanches moulées dans un jean skinny. Il fallait la regarder de près pour que le doute s'insinue. C'était dans ce moment d'indécision, ce battement d'ailes entre fille et garçon, qu'Ella-Elliot se sentait exister. Elle eut une soudaine envie de danser tant elle se trouvait à son goût, et c'est à pleins tubes qu'elle mit la chanson de Mylène Farmer :

     — Puisqu'il faut choisir,
À mots doux je peux le dire,
Sans contrefaçon
Je suis un garçon.
Et pour un empire,
Je ne veux me dévêtir
Puisque sans contrefaçon
Je suis un garçon.

Chantant en surimpression, elle se déhanchait avec une mâle énergie :

— *Je me fous bien des qu'en-dira-t-on*
Je suis caméléon
Puis basculant le bassin, elle porta la main à son sexe :
Un mouchoir au creux du pantalon
Je suis chevalier d'Éon.

Comprenait-elle le sens exact des paroles ? Elle était ivre de joie. Elle s'aimait. Elle aurait voulu que Sauveur la voie.

Quand elle fut un peu calmée, elle mit la touche finale à son travestissement en se coiffant d'un borsalino canaille, et sortit dans la rue, ignorant qu'elle avait un *stalker* sur les talons. Elle s'assit sur un banc du parc et, repoussant son chapeau, s'offrit aux rayons du soleil, les yeux mi-clos. Elle eut un tressaillement quelques instants plus tard et rouvrit les yeux avec la sensation que quelqu'un l'observait. Elle regarda autour d'elle. Mais non, rien. Pourtant, la peur s'était infiltrée en elle dans l'allée déserte en ce début d'après-midi. Elle respira plus librement quand elle retrouva une rue commerçante, et bien plus encore quand elle poussa derrière elle la porte de son appartement. Elle se hâta de remiser ses vêtements dans le placard. C'était un jeu dangereux à l'âge qu'elle avait. Personne n'était au courant de son goût pour le travesti, surtout pas ses parents, et son père lui faisait déjà suffisamment de remarques sur sa coupe de cheveux à la tondeuse.

Son téléphone, resté au fond de sa poche de veste, lui signala l'arrivée d'un SMS. Elle le lut sans comprendre. **Travelo**. C'était tout. **Travelo**. Le message provenait de Jimmy. Elle n'avait pas l'intention de répondre, même pour avoir des éclaircissements. Or dix minutes plus tard, un nouveau SMS l'avertit : **Check ton mur**. C'était une invitation à aller voir sur Facebook. Ce qu'elle fit, intriguée, et même déjà inquiète, car il y avait quelque chose de menaçant dans le ton employé. Sur le mur de son Facebook, elle vit la photo que venait d'y poster Jimmy. C'était elle. Elle habillée en Elliot et s'offrant béatement aux rayons du soleil. Au-dessous de la photo, ce commentaire : **C pa une fille, c un mec!** Elle se sentit devenir glacée comme lors de ses précédents évanouissements. Vite, détruire cette image. Une heure plus tard, un nouveau SMS la fit sursauter. Cette fois-ci, il était de Marine. **Travelo**. Jimmy avait partagé la photo. Dès lors, les filles de la 4e C firent pleuvoir les SMS, mêlant insultes et propos injurieux dans une surenchère délirante. **C carnaval? Ou ta mi t seins? T'attends le client? C un type qui s habille en fille au collège ou c une fille qui drag les filles habillée en garçon? Drag queen ou drag king?**

Le lendemain, une fille de sa classe, qui ne lui parlait jamais, l'avait accueillie, d'ailleurs sans méchanceté, par un : «T'as pas mis ta cravate aujourd'hui?» Tout le monde était au courant. La photo avait circulé d'écran de téléphone en écran d'ordinateur, la beauté androgyne de la jeune Ella suscitant de plus en plus de commentaires sales,

sexistes et homophobes. Pour rigoler, bien sûr. Le vendredi, Ella passa une partie de la journée à l'infirmerie. Le
lundi, elle vomissait.

*
* *

Depuis trois jours, Louise méditait sur ce que Sauveur
avait dit d'elle et de Jérôme. En face d'un adversaire, on a
trois solutions : se battre, fuir ou ne rien faire. Tout le
monde pensait que se battre était la meilleure solution, la
plus courageuse. Mais se battre contre un adversaire qui
est plus fort que vous n'est pas courageux, c'est juste idiot.
C'est sans doute ce qui est arrivé à ce pauvre monsieur
Jovanovic, se dit Louise, ce mardi matin. Elle pensait à lui
en descendant à la cave. Elle tourna le bouton de la minu-
terie et alla vers la grosse poubelle de tri sélectif, toujours
pressée d'en finir avec cet endroit. Elle entendit alors un
grognement ou un gémissement en provenance de la
chaufferie.

— M... monsieur Jovanovic ? fit-elle d'une voix apeurée.

Rien. Il lui fallait s'enfoncer dans le local pour savoir
s'il y avait quelqu'un. La tentation de fuir était grande.
Mais Louise se révolta contre cette lâcheté physique qui
lui faisait les jambes molles et la bouche sèche.

— Jovo !

C'était bien lui, adossé à la chaufferie, la main posée
sur son gros sac. Il avait la joue bleuie par un coup et un
œil à demi fermé. Elle s'accroupit et lui parla, mais il ne

semblait pas la reconnaître. Dans un râle, il essaya de dire quelque chose, et Louise tendit l'oreille.

– Tu... Tués. Les ai tués, souffla-t-il.

Louise frissonna et, d'une voix précipitée, dit à monsieur Jovanovic de rester calme (on ne voit d'ailleurs pas ce qu'il aurait pu faire d'autre), qu'elle allait chercher du secours, appeler Sauveur, qu'on allait le soigner...

– Tués... mais fallait, murmura encore Jovo.

– Oui, oui, oui, ce n'est pas grave. On va... on va s'occuper de vous.

– Tués... trois...

– Oui, oui, je reviens, s'affola Louise.

Elle remonta à son appartement en toute hâte. Mais pourquoi sa vie devait-elle être toujours si compliquée ? Elle aurait voulu élever ses enfants et son hamster, l'esprit en paix, et gagner sa vie en écrivant des articles de société sur le succès du « tchip » chez les collégiens ou comment le « sbam » (Sourire – Bonjour – Au revoir – Merci) des caissières ensoleille notre quotidien. Cela aurait suffi à l'occuper.

– Sau... Sauveur ? Désolée, tu es sûrement en consultation...

– Non.

C'était l'heure où Samuel Cahen aurait dû venir.

– Ah, tant mieux ! Jovo est dans ma cave, mais il est très mal en point.

– J'arrive.

Louise se relâcha. On appelait Sauveur, et la vie redevenait simple. Quand il arriva rue du Grenier-à-Sel, l'état de Jovo ne s'était pas amélioré. La paralysie semblait l'avoir gagné. Sauveur contacta le SAMU, et le vieux légionnaire fut embarqué sur une civière, destination les urgences de Fleury.

— Je dois retourner travailler, dit Sauveur, consultant sa montre. Je prends le sac chez moi.

— Tu crois qu'il va s'en sortir?

— À mon avis, c'est un AVC. S'il s'en tire, il aura des séquelles.

Louise avait tellement l'air perdu et chagriné qu'il la serra contre son cœur et lui murmura qu'elle avait fait ce qu'il fallait, tout ce qui était en son pouvoir.

— Sauveur, fit-elle d'une petite voix, Jovo m'a dit qu'il avait tué.

— Tué?

— Oui. Trois. Il a dit: «tué… trois».

— Non, c'était quatre.

— Quatre?

— Mes hamsters.

Le lendemain matin, alors qu'il démarrait ses consultations, Sauveur reçut un appel de Brigitte. Il crut que la jeune femme allait lui annoncer le décès de Jovo. Mais tout au contraire.

— Pas de trace d'AVC, lui dit-elle. Il récupère vite. C'était juste le manque de nourriture et un début de déshydratation. Il s'inquiète beaucoup pour son sac!

271

— Rassure-le. Il est à l'abri chez moi.

— Est-ce que tu pourrais fouiller les poches de côté ? Il paraît qu'il a des papiers d'identité. C'est pour la prise en charge.

Dès qu'il eut une minute de répit, Sauveur fit l'inventaire des poches du sac militaire. Dans l'une, il trouva le vieux portefeuille en cuir noir, dont lui avait parlé Louise. Il l'ouvrit et découvrit la photo de Jovo jeune, tenant une petite fille par la main. Sauveur sourit. Plus de doute : mademoiselle Jovanovic était la petite-fille du légionnaire. La fillette avait les yeux, les cheveux et le menton de Frédérique.

Dans une autre poche, Sauveur trouva un porte-cartes flambant neuf, contenant une carte bancaire périmée au nom de Joseph Kerketz, un passeport au nom de Bosco Kerketz, également périmé, et une carte Vitale en cours de validité au nom de Bosco Jovanovic. Cet homme a eu plusieurs vies, conclut Sauveur. Quelque chose lui disait qu'il passerait la dernière au 12 rue des Murlins. Mais on était mercredi, il était 16 h 55, et Sauveur, qui plaçait mentalement chacun de ses patients dans son petit logis pour l'en tirer le jour et l'heure venus, devait à présent se concentrer sur une seule personne.

— Blandine, comment vas-tu ?

— Super. T'as vu mes valises ?

Il balaya du regard la salle d'attente.

— Mes valises sous les yeux !

— D'accord. Tu ne dors toujours pas ?

— Si, très bien. Au conservatoire, tout à l'heure. La prof de flûte veut me tuer.

Au lieu de s'asseoir, Blandine se dirigea vers la cage de madame Gustavia.

— Où ils sont passés ? s'étonna-t-elle.

— Maladie.

— Et ceux-là, ça va ?

— Comme tu vois.

Les trois petits hamsters avaient 17 jours et s'émancipaient. Maman Gustavia devait parfois ramener l'un ou l'autre dans le droit chemin en l'attrapant par la peau du cou.

— Ils sont trop marrants. Vous m'en garderez un ? Papa voudra bien.

— Tiens ? Il est cool maintenant ?

— Nan... Il a peur de moi.

— Peur de toi ?

— Chaque fois qu'il dit une connerie...

Elle traversa l'air du tranchant de la main.

— ... je le casse.

— Mm, mm. Tu n'es pas en train de développer un petit sentiment de toute-puissance ?

— Si, c'est ça. Je suis la Reine des Cons. Tu sais quoi ? J'ai perdu mon téléphone à 220 boules. J'étais trop dégoûtée.

— Papa va le remplacer.

— Je sais qu'il essaie de m'acheter avec son fric. Mais ça marche pas avec moi.

Blandine s'y entendait pour manipuler un manipulateur. Elle y perdait le respect qu'elle devait aux adultes.

— Ce qui est bête, dit-elle en fin de séance, c'est que j'ai 12 ans et vous n'allez pas m'attendre.

— T'attendre ?

— Pour m'épouser.

— Mm, mm.

— Mais je vous aime trop ! Même quand vous faites « mm, mm », avec votre espèce de sourire qu'on comprend pas.

Sauveur élargit son sourire jusqu'à le rendre inquiétant.

— Waouh ! s'écria Blandine. On dirait le chat d'Alice !

Sauveur, qui avait vu une dizaine de fois *Alice au Pays des Merveilles* avec Lazare, prit le ton allumé du chat en question :

— *« Vous avez peut-être remarqué que je n'ai pas toujours toute ma tête ? Parce que tout le monde est fou ici... »*

— Ouais, tout le monde est fou, rebondit Blandine, surtout les adultes... J'ai pas trop envie de grandir, en fait.

— Là, ce n'est plus Alice, c'est Peter Pan. Mais réfléchis, voudrais-tu jusqu'à la fin de ta vie aller au collège et faire de la flûte traversière ?

— Oh, putain, non ! dit-elle, s'effondrant au fond du canapé.

— Donc le mieux, c'est encore de grandir.

— Ou de faire comme Margaux.

— C'est-à-dire ?

Elle fit le geste de s'entailler le poignet.

— Ah, ah, il a peur, mon psy, ricana-t-elle. Mais non, j'ai pas envie de mourir. J'aime trop les bonbons.

Et elle chanta :

— *Haribo, c'est beau la vie, pour les grands et les petits.*

Sauveur avait vraiment besoin d'un moment de décompression après le passage de Blandine et il espérait que mademoiselle Jovanovic n'allait pas, comme la fois précédente, prendre d'assaut son cabinet de consultation. Il s'assit dans son fauteuil et posa les mains en conque devant ses yeux. Il aimait Blandine, mais sa malice l'épuisait.

— Mademoiselle Jovanovic, bonjour.

Elle avait attendu et ne paraissait pas pressée de le rejoindre.

— Bonjour monsieur Saint-Yves, fit-elle sur un ton compassé qui ne présageait rien de bon.

Elle s'assit, le manteau plié et posé sur les genoux.

— Je peux vous débarrasser ?

— Non, ça ira, merci.

— Il y a un sujet aujourd'hui ? voulut l'encourager Sauveur.

— Non, non. J'ai bien compris que ce n'était pas le genre de la maison.

— Le genre de la maison, répéta Sauveur.

— J'aurais pu vous prévenir par téléphone que je ne continuais pas cette psychothérapie, mais j'ai trouvé plus correct de me déplacer.

Sauveur ne s'attendait pas à une défection aussi rapide, d'autant que la séance précédente s'était bien passée, de son point de vue.

— Puisque vous êtes là, dit-il, on pourrait en profiter pour faire un bilan de ces quatre séances.

— Quel bilan ?

— Vous n'avez pas le sentiment d'avoir progressé d'une façon ou d'une autre ?

Elle ne voyait pas du tout ce que monsieur Saint-Yves voulait dire.

— Vous êtes venue ici parce que vous ne vous remettiez pas de la mort de votre chat, lui rappela-t-il.

Elle eut un léger haussement d'épaules. Affaire classée.

— La semaine dernière, vous envisagiez de quitter le domicile de votre mère, je crois ?

— J'ai trouvé un studio, j'emménage dans quinze jours.

Sauveur en resta bouche bée. La jeune femme éteinte, pleurant Filou dans son cabinet de consultation un mois auparavant, était à présent une personne très en beauté, prête à prendre son indépendance, mais d'après elle la psychothérapie n'y était pour rien.

— Ce genre de choses ne m'apporte rien. Ça doit dépendre des caractères.

— Mm, mm.

— On devrait vous payer en fin de thérapie en fonction du résultat. Comme ça, je n'aurais rien eu à débourser !

Sauveur se mordillait l'intérieur des joues, ce qu'il faisait chaque fois qu'il s'interdisait de parler. Mademoiselle Jovanovic prit son silence pour un aveu de faiblesse et se montra magnanime.

— Ne le prenez pas mal… Je plaisantais.

Elle commençait à le chauffer.

— Vous avez entendu parler du Teatreneu de Barcelone?

— C'est... une équipe de foot? fit-elle, un peu déstabilisée.

— Non, c'est une salle de théâtre spécialisée dans les one-man-shows. Les fauteuils sont équipés de tablettes électroniques qui analysent les expressions faciales. L'entrée du théâtre est gratuite, mais chaque fois que le spectateur rit, il devra payer 30 centimes à la sortie.

Mademoiselle Jovanovic eut une mimique de perplexité. Où voulait-il en venir?

— Si je faisais payer en fin de thérapie comme vous me le suggérez, pas au nombre de rires mais à la quantité de Kleenex utilisés, vous seriez une de mes patientes les plus rentables... Je plaisante...

Mademoiselle Jovanovic parut chercher une riposte autour d'elle. Son regard se posa sur la cage des hamsters.

— Je voulais vous demander... Pour le hamster, quand est-ce que je pourrais le prendre?

— Le hamster? Mais vous envisagiez un chat, non?

— Mon studio est trop petit. Pour un hamster, ce sera parfait.

Sauveur dut lui expliquer qu'il était à court de hamsters, mais que, si l'un d'eux se libérait, il lui téléphonerait sans faute.

— Merci, c'est gentil, fit-elle, redevenue aimable en face d'un adversaire plus coriace que prévu.

Je vais me faire éleveur de hamsters, se dit Sauveur, c'est un métier plus gratifiant.

De son côté, Louise faisait aussi l'expérience de l'ingratitude, celle, si naturelle, des enfants. À 14 heures, Alice vint toquer à la porte de sa chambre, habillée de pied en cap.

— J'y vais, déclara-t-elle, d'un ton d'autant plus décidé qu'elle n'était pas du tout sûre que sa mère serait d'accord.

— Où ça ?

— Voir Pimprenelle.

— Hein ? Mais ce n'est pas la semaine de ton père !

— Je te parle de Pimprenelle.

Louise, qui en était restée aux épisodes où Pimprenelle était « une grosse conne », ne comprenait pas.

— Mais qu'est-ce que tu vas faire avec elle ?

C'était le moment de vérité entre Louise et sa fille.

— Voir sa dermato.

— Pour ?

— Mes boutons. Au cas où tu ne l'aurais pas remarqué, fit Alice, le ton dépité, j'ai de l'acné.

« Persécutée par l'acné » ! Sauveur avait vu juste.

— Mais je peux te prendre un rendez-vous chez notre généraliste, protesta Louise, déjà perdante.

— Un spécialiste, c'est mieux, et la dermato de Pimprenelle, elle est top, fit Alice, cette fois-ci sur le ton de la pub L'Oréal « Parce que je le vaux bien ».

Louise céda et fit ce que font les parents en désespoir de cause : elle prêta sa carte bancaire. Puis elle essaya de se mettre au travail.

Elle avait proposé à son rédac chef une série d'articles sur les dernières expressions à la mode. Pourquoi remplace-t-on de plus en plus souvent «Au revoir» par «Bon courage!», pourquoi, de l'ado à la vendeuse des Galeries Lafayette, tout le monde vous dit : «Y a pas de souci.» Elle excellait dans la chronique drôle et courte (pas plus de 1 000 signes), mais cet après-midi elle séchait, son esprit vagabondant du côté d'Alice et Pimprenelle. Était-elle jalouse ? Vexée ? Elle se souvint d'un album de photos, qui était remonté à la surface lors du récent déménagement. Elle alla le chercher et, installée sur son lit, le feuilleta. C'était l'album d'Alice.

Les photos étaient magnifiques, Jérôme n'étant pas photographe professionnel pour rien. Tout commençait dans la chambre de la maternité, fleurie de lys et de roses, où Alice dormait, avec ses petits poings serrés et son visage repu de bébé qui vient de téter. Puis c'était l'heure du bain à la maison et ce premier sourire partagé, les premiers pas, la première chute, oh, et cette si jolie robe à smocks, offerte par la tante Claudine, et ce chapeau de paille qu'Alice appelait un «pacheau». Elle avait été si précoce ! C'était tout un jargon bien à elle dès ses 18 mois, *a foif bébé, déchondre l'étalier...* Et toutes ces drôles de grimaces qu'elle faisait pour séduire son papa photographe ! Puis venaient les Noël, les déguisements de carnaval, les fêtes de fin d'année scolaire. Si vite, si vite, le temps avait passé. Louise s'arrêta de regarder. D'ailleurs, elle ne voyait plus rien. Elle pleurait. Alice. Mon bébé. Ma petite fille. Mon trésor. Le bébé, la petite fille, le trésor revint à 18 heures, l'air triomphant et un sachet de pharmacie à la main.

Le soir, dans le secret du cabinet de toilette, Alice se livra à un rituel magique, le nettoyage de peau d'après la dermatologue («Surtout pas d'eau du robinet, mademoiselle, uniquement une lotion peaux sensibles sur du coton»), puis l'application de la pommade achetée sur prescription médicale («Avec des mains propres aux ongles nettoyés, mademoiselle». Au moment de se mettre au lit, apaisée par ces soins de beauté, Alice jeta un coup d'œil sur son téléphone et vit que Marine avait cherché à la joindre. Il y a peu, elle se serait empressée de la rappeler. Elle connaissait Marine Lheureux depuis le CP et elle s'était toujours placée dans son orbite. Elle la redoutait, Marine pouvant vous intégrer dans un groupe ou vous exclure d'un pouce levé ou d'un pouce baissé. Elle faisait l'opinion, on copiait ses vêtements et ses expressions. Mais depuis l'affaire de la photo, Alice se posait des questions. Tout d'abord, et sans réfléchir, elle avait réexpédié la photo d'Ella, travestie en garçon, en ajoutant une petite blague. Puis elle avait lu les commentaires qui s'accumulaient, de plus en plus moqueurs, insultants, dégradants. Et la veille, Ella n'était pas présente en cours de latin. Alice savait qu'il y avait une relation de cause à effet. Ce soir-là, elle fit donc un geste exceptionnel. Elle éteignit son téléphone.

*
* *

– Je m'en vais.

On était vendredi et c'était Charlie.

– Vous aussi ! s'exclama Sauveur, presque malgré lui.

Samuel avait dû interrompre sa thérapie. Pimprenelle avait pris la fuite. Frédérique n'avait plus besoin de lui. Ella était malade et Margaux Carré, à Fleury.

– Comment ça, moi aussi ?

Sauveur secoua la tête.

– Non, désolé, je pensais à autre chose. Où allez-vous, Charlie ?

– À Berlin. J'ai trouvé un job full time de responsable marketing. J'avais postulé par Internet, je n'y croyais pas, mais je viens d'avoir une réponse positive ! Ici, il n'y a rien pour moi. J'ai 28 ans, j'ai un master de communication, je suis trilingue… J'ai envoyé des dizaines de lettres de motivation, j'ai passé des dizaines d'entretiens. Tout ce qu'on me propose, c'est des stages et encore des stages, à 500 euros par mois. Je vaux mieux que ça.

– Vous partez, mais Alex ?

– Elle a son cabinet d'esthéticienne, ses filles… Sa vie est ici.

Charlie se raidissait, la ride du lion se creusait entre ses sourcils.

– Mais vous savez qu'Alexandra vous aime ? Et qu'Élodie est très attachée à vous ?

– Pourquoi… pourquoi vous me dites ça ? fit-elle, détournant le visage.

Alors, parce qu'il savait aussi que Charlie écrivait de la

poésie, Sauveur laissa la place à un poète, et de sa voix d'hypnotiseur, il récita :

— *Quand tu aimes il faut partir*
Quitte ta femme quitte ton enfant
Quitte ton ami quitte ton amie
Quitte ton amante quitte ton amant
Quand tu aimes il faut partir.

Charlie lui fit face.

— Je voulais vous dire, on n'est pas d'accord sur grand-chose, mais ici, je me suis sentie respectée.

— Merci. C'est gentil de me dire ça, mais je suis parfois maladroit. Comme à l'instant quand je vous ai dit qu'Alexandra…

— Vous avez bien fait de le dire. Parce que c'est vrai. Alex m'aime et je l'aime, mais je ne peux pas rester ici à vivre à ses crochets. Et… et la petite va me manquer.

Sauveur tendit sa boîte de Kleenex, mais Charlie s'était déjà essuyé les joues d'un revers de manche.

— Ça se termine comment, votre poème ?

Sauveur hésita, les derniers mots étant : *Je pèse mes 80 kg Je t'aime*, ce qui était exactement son poids, mais pas exactement ses sentiments. Il choisit donc la fin d'une strophe précédente.

— *Respire marche pars va-t'en.*

Charlie acquiesça, puis se posa à elle-même la question :

— Est-ce qu'un jour j'irai au bout de quelque chose ? Même cette thérapie, je ne suis pas fichue de la terminer.

— La vie commence à Berlin, Charlie. Je le sens pour vous. *Quand tu aimes il faut savoir / Chanter courir manger boire / Siffler / Et apprendre à travailler.*

À la fin de la séance, il la reconduisit jusqu'à la porte d'entrée.

— *Respire marche...*? fit-elle, la voix hésitante, cherchant les mots de Blaise Cendrars.

— *... pars va-t'en*, compléta Sauveur.

Il lui tendit la main.

— Et puis reviens !

Comme l'ambiance était au départ, Sauveur retourna dans son cabinet de consultation préparer celui des hamsters juniors, deux petites femelles et un gros mâle. La cage de madame Gustavia étant dotée d'un toit ouvrant très pratique, Sauveur ne se fit mordre qu'une fois avant d'attraper par la peau du cou la femelle très vive qu'il réservait au petit-fils de madame Dumayet. Il avait percé de trous une boîte à chaussures et l'avait tapissée de litière.

— Et hop ! fit-il en lâchant le hamster.

Pour Raja, Sauveur avait choisi la femelle plus douce qui se laissait caresser du bout du doigt. Il l'installa comme une princesse dans une cage métallique aux accessoires vert pomme, maison de repos, toboggan, roue, plate-forme, dôme d'observation, tube de parcours, le tout pour la modique somme de 29,95 € chez Jardiland. On toqua alors à la porte d'entrée et Sauveur alla ouvrir à madame Dumayet.

— Vous allez bien ? dit-il machinalement.

— Avec des hauts et des bas. Je crois que, sans les médicaments, je ne tiendrais pas.

Mais Sauveur fit la sourde oreille, sa journée de psychologue étant terminée.

— Voilà, dit-il en s'emparant de la boîte en carton, je vous l'ai mise là-dedans. Mais il faudra rapidement lui trouver une cage. Vous voulez la voir ?

Sans attendre de réponse, il souleva le couvercle et laissa entrevoir à madame Dumayet une minuscule bestiole, folle de rage, fouissant dans la litière à la recherche d'une issue de secours. Il ne put s'empêcher de remarquer qu'elle était un peu énervée.

— Pas plus que mes CM1, soupira madame Dumayet, espérant encore un peu de compassion.

— Heureusement que les vacances de la Toussaint arrivent, lui répondit-il.

Il la reconduisit à la porte. Au revoir, merci, mes amitiés à Damien, l'heureux propriétaire !

Sauveur revint dans son cabinet de consultation en se frottant les mains de satisfaction. Ah, ah, le terrain se dégageait, côté hamsters ! Chez mes patients aussi, songea-t-il, une fois dans son lit. Samuel, Charlie, Ella, Margaux. Il secoua la tête pour en chasser ce qui ressemblait à du chagrin. Puis il entama son nouveau livre psy, *Sommes-nous tous des malades mentaux ?* Bonne question, fit-il entre ses dents.

Rue du Grenier-à-Sel, malgré l'heure un peu tardive ce vendredi, Louise avait décidé de téléphoner à Jérôme.

Des trois options, se battre, fuir ou ne rien faire, elle choisissait la première et pensait avoir trouvé le bon angle d'attaque.

— Est-ce que tu te rends compte, dit-elle à Jérôme, en essayant de modérer son indignation, est-ce que tu te rends compte que tu as jeté les enfants à la rue samedi dernier ? Parce que, si je n'avais pas été à la maison...

— Tu fais bien d'en parler ! la coupa-t-il. Comment se fait-il que les enfants n'aient pas la clé de chez toi ? Ils ont celle de mon appartement parce que c'est aussi leur maison. Autrement, EFFECTIVEMENT, ils sont à la rue quand tu décides de découcher !

— De... que... quoi ? bégaya Louise, ne comprenant pas comment elle venait, en cinq secondes, de se retrouver en position d'accusée.

— Et par ailleurs, pourquoi tu n'es pas capable de conduire Alice chez la dermato ? Pourquoi Pimprenelle doit-elle prendre de son temps pour le faire ? Tu es trop occupée, c'est ça ?

— Hein ? Mais...

Jérôme accumulait les critiques, sans laisser le temps à Louise de riposter à une seule d'entre elles.

— Es-tu consciente des risques que tu fais courir à nos enfants en les laissant dans cette maison où on reçoit des fous ?

— Des fous ?

— Mais oui, les paranoïaques, les schizophrènes, les psychopathes qui défilent chez ton mec.

– Mais… mais c'est séparé, bredouilla Louise, le cabinet de consultation est de l'autre côté de…

– Oui, séparé, ricana Jérôme, par une porte ! Mes enfants sont sous le même toit que ces cinglés, et la preuve que c'est dangereux : il y a eu une agression en février dernier. La police est venue. Toi qui es journaliste – paraît-il –, tu devrais être au courant ! C'était dans les faits divers de *La République du Centre*. Un maniaque est entré chez ton psy et a forcé son fils à avaler des médicaments, de la morphine et je ne sais quoi ! Et si ça avait été Paul à la place, hein, tu y penses ? !

Louise, qui avait pris le téléphone, bien déterminée à exiger son week-end, raccrocha en pleine déconfiture. Peut-être, oui, peut-être était-elle égoïste, inconsciente, et irresponsable ? Dévalorisée par sa mère pendant toute son enfance, trahie par son conjoint, en conflit avec sa fille adolescente, venant de descendre dans l'échelle sociale, Louise n'avait plus, pour garder confiance en elle, que son image dans le miroir. Or, ses yeux bouffis et son nez rougi par les larmes ne lui remontèrent pas le moral tandis qu'elle se démaquillait. Aussi naïve que Paul, Louise n'avait pas démasqué Jérôme, dont toutes les manœuvres, toutes les accusations n'avaient en fait qu'un seul but : l'empêcher d'aimer Sauveur, l'empêcher d'être aimée de lui.

Pourtant, courageuse à sa façon, Louise décida de camper sur ses positions. Le samedi matin, autour de la table du petit déjeuner, elle annonça à ses enfants qu'ils iraient dîner le soir chez les Saint-Yves.

– Dormir aussi ? demanda Paul, plein d'espoir.

– Dormir aussi.

– Yes !

– Et papa ? fit Alice.

– Il vous récupérera lundi, répliqua Louise, comme la loi l'a fixé.

Sa voix lui parut à elle-même sèche et vindicative.

– On ne se dispute pas, supplia Paul en joignant les mains.

Au fond, Alice aurait bien aimé une trêve.

– Est-ce que je peux aller dormir chez Selma ce soir ?

Louise comprit que sa fille cherchait un compromis. Alice, mon bébé, ma petite fille, mon trésor.

Une pointe douloureuse lui entra dans le cœur.

– Si tu préfères, dit-elle, vaincue.

– Et puis, demain midi, tu viendras manger la pizza avec nous ? fit Paul, inlassable médiateur, en se tournant vers sa sœur.

Il ajouta, comme si c'était un attrait supplémentaire, que Jovo serait là. Alice interrogea sa mère du regard. Encore ce vieux type ?

– Oui, dit Louise, embarrassée. Sauveur va le chercher à l'hôpital de Fleury. C'est juste pour le week-end.

Alice crut nécessaire de lever les yeux au ciel. Puis elle concéda du bout des lèvres qu'elle viendrait dimanche... pour le goûter. Louise faillit répliquer : « C'est toi qui fais la loi maintenant ? », mais elle se mordilla l'intérieur des joues, comme le lui avait appris Sauveur, et ne dit rien du tout.

*
* *

Sauveur n'était pas d'un tempérament mélancolique. Samuel, Ella, Charlie, Margaux. C'était là, logé dans un coin de son cœur, ça n'en bougerait pas, mais on était samedi. Ce soir, il retrouverait Louise. Ce midi, il irait chercher Jovo à Fleury. Et pour l'instant, il recevait madame Haddad et sa fille.

— Voilà, c'est pour toi.

Il avait pris Raja par la main et elle s'était laissé emmener. Maintenant, elle regardait la cage avec des yeux extasiés. Elle, qui redécouvrait les couleurs, elle eut un rire de ravissement devant le vert pomme fluo. Le petit hamster dormait, à demi enfoui dans sa litière. Sauveur mit un doigt sur ses lèvres, il ouvrit le toit de la cage et caressa doucement le dos de l'animal. Raja tendit la main en direction de la cage et Sauveur la guida vers le hamster. Mais elle appuya trop fortement sur son échine et la petite femelle, éveillée en sursaut, poussa un couinement puis courut se réfugier dans sa maison. Raja avait aussi eu un sursaut de frayeur. Sa maman eut la présence d'esprit de rire, puis de se moquer du bébé hamster, qui était un peureux.

— Mais elle va grandir et elle jouera avec toi, lui promit Sauveur. Comment vas-tu l'appeler?

— Anna, dit l'enfant.

Dina et Sauveur s'interrogèrent mutuellement du regard, sans penser à *La Reine des Neiges*. Puis tous deux allèrent s'asseoir l'un en face de l'autre, tandis que Raja étalait les crayons de couleur devant elle.

– Alors, comment allez-vous ?

Raja continuait de progresser à l'école et d'écrire son prénom partout. Dina avait commencé le travail et gardait une petite fille très gentille de 16 à 19 heures. Sauveur la sentait lointaine, souriante et appliquée.

– Qu'est-ce que vous me cachez, Dina ?

Elle eut un rire espiègle.

– On peut cacher rien à doctor, répondit-elle. Youssef a un violon ! *May I speak in English ?*

– Oui, oui, expliquez-moi ça en anglais.

Le jeune lycéen, Félicien L., qui leur avait créé une page Facebook, avait aussi lancé un appel sur Internet pour qu'on prête un violon à monsieur Haddad. Depuis trois jours, Youssef avait retrouvé la musique.

– *He's happy !*

Oui, il avait retrouvé un peu de sa joie d'autrefois. Il espérait donner des cours de violon.

– J'ai réfléchi, ajouta Dina.

Elle fit le geste de Sauveur d'une route qui se sépare en deux chemins divergents. Puis elle demanda s'il était possible que Youssef vienne ici. Quelle merveilleuse jeune femme, songea Sauveur, mais il se contenta de faire un signe d'approbation et nota sur son agenda pour le samedi 31 octobre à 9 heures *monsieur et madame Haddad*.

Après avoir laissé repartir Dina, Raja et Anna, Sauveur passa la porte-frontière et grimpa au grenier. Gabin dormait.

— Je vais chercher Jovo pour le déjeuner, lui dit-il, après l'avoir secoué. Sors-toi de ta semoule ! D'ailleurs, c'est couscous ce midi.

— Cool, dit Gabin en refermant les yeux.

Sauveur appréhendait ses retrouvailles avec Jovo. Il ne l'avait pas revu depuis qu'il l'avait chassé de chez lui. Il avait réglé de loin ses affaires et lui avait parlé une fois au téléphone. Le vieil homme lui avait paru affaibli, cherchant ses mots.

— Monsieur Jovanovic ? fit l'infirmière en dévisageant Sauveur avec curiosité. Oh là là, il vous attend depuis deux jours ! « Il est là ? On est samedi ? Quand est-ce qu'il arrive ? » Il est habillé depuis 6 heures du matin. Chambre 401.

Sauveur la remercia d'un pâle sourire et parcourut le couloir de l'hôpital jusqu'à la chambre 401. La porte était entrebâillée et Sauveur l'aperçut par l'ouverture. Il était assis sur son lit, très droit, encore plus maigre, la joue noircie par l'hématome. Sauveur eut un instant d'hésitation. Pourquoi s'encombrait-il de ce vieux fou ?

— Hello, Jovo ! Alors, comment va ?

— C'est samedi ? fit Jovo, et il ne put rien dire de plus, tant l'émotion le suffoquait.

Sauveur crut que le pauvre vieux n'avait plus toute sa tête et il se pencha vers lui.

— Vous vous rappelez de moi ? Sauveur ? Le nègre ?

Jovo hocha la tête.

— On va déjeuner à la maison, articula doucement Saint-Yves.

Jovo, se raclant la gorge, retrouva la parole.

— C'est pas trop tôt, mon gars ! Je te garantis qu'ici la soupe est froide !

Et il chanta la vieille rengaine militaire :

— *C'est pas de la soupe, c'est du rata, c'est pas de la merde, mais ça viendra.*

— D'accord, fit Sauveur, soulagé.

Mais le légionnaire frimait un peu.

— Tu sais, Bounty, c'est plus des jambes que j'ai, c'est de la flanelle.

Sauveur comprit ce discret appel à l'aide et il prit Jovo sous les bras pour le mettre debout. « Marche ou crève. » C'était le moment ou jamais.

— Ça va ?

— Ça va, mon gars, avance, avance.

S'appuyant sur l'épaule de Sauveur, Jovo parvint à remonter le couloir.

— Vous nous quittez, monsieur Jovanovic ? fit gaiement l'infirmière-chef de l'étage. On vous regrettera !

Quelques pas plus loin, Jovanovic souffla : « Eh bien, pas moi » à l'oreille de Sauveur, qui s'en amusa.

— Elle n'était pas sympathique ?

— Oh, si. Mais pas mon genre.

— C'est quoi, votre genre ?

— C'est votre Louise. Ça n'a l'air de rien, ces petites femmes, mais je suis sûr qu'au lit…

Sauveur tchipa pour couper court. Mais au fond, il était d'accord avec Jovo.

Rue des Murlins, le légionnaire fut accueilli par *Le Boudin*, chanté en chœur par Lazare, Gabin et Paul, qui les avait rejoints. Lazare qui, sous des dehors tranquilles, avait l'âme héroïque, vibrait particulièrement à la «deuxième sonnerie».

Nos anciens ont su mourir
Pour la gloire de la Légion.
Nous saurons bien tous périr
Suivant la tradition.

— Couscous-mouton, conclut Sauveur.

— Comme là-bas, approuva Jovo.

Pendant le repas, Paul procéda à un lâcher de Bidule, qui se promena entre les verres et les assiettes, prélevant ici un peu de semoule et là un bout de carotte, mais sans déranger personne et avec une distinction naturelle.

— Quand je vais pouvoir prendre mon autre hamster ? demanda Paul.

— Le hamster d'Alice, corrigea Sauveur. Eh bien, dès cet après-midi. Comment ALICE a-t-elle décidé de l'appeler ?

Silence autour de la table.

— D'accord, abdiqua Sauveur. Comment avez-vous décidé de l'appeler ?

Et les trois garçons d'une seule voix :

— Sergent !

Le grade de Jovo dans la Légion. Il parut touché de l'attention.

Louise, après avoir déposé Paul, était retournée rue du Grenier-à-Sel avec une certaine appréhension. Que pouvait-elle proposer à Alice en attendant l'heure de la conduire chez Selma ? Elle eut recours à la dernière cartouche du parent qui ne sait plus quoi faire du gamin. McDonald.

— OK, fit Alice en cachant bien sa joie.

Sur le chemin du Burger, Louise chercha un sujet de conversation qui ne ressemblerait pas à un terrain miné. Le traitement anti-acné ? Les progrès d'Achille, le demi-frère ? Les copines ? Ah, voilà le bon sujet.

— Ça va avec les copines à l'école ?

— Pourquoi tu me demandes ça ? fit Alice, sur la défensive.

— Je ne sais pas... Tu ne me racontes pas grand-chose.

Le genre de phrase qui m'aurait exaspérée à l'âge d'Alice, regretta Louise au même moment. Elles n'échangèrent plus un mot jusqu'à ce qu'elles aient posé leur plateau sur une des tables du McDo.

— Je ne m'entends plus trop bien avec Marine, dit soudain Alice.

— Tu préfères Selma ?

Alice fit une moue puis mordit dans son Burger Spicy Jalapeno (nouvelle recette). Elle avait envie de parler, mais elle se demandait si sa mère serait à la hauteur de la confidence qu'elle voulait lui faire. Elle la testa.

— C'est quoi, un travelo, exactement ?

Louise ne s'y attendait pas.

— Un... Mais pourquoi tu me demandes ça ?

Alice prit une autre bouchée sans répondre. Nulle,

voilà ce qu'était sa mère. Tu lui poses une question, elle ne répond pas. Mais Louise s'était ressaisie.

— Un travelo, c'est un travesti. Un homme qui s'habille en femme.

— Et pas une femme qui s'habille en homme ?

— Si… peut-être. Mais c'est moins voyant, parce qu'il y a beaucoup de femmes qui portent un pantalon, tandis que des hommes qui portent une robe…

— Il y a une fille en 4ᵉ A qui s'habille comme un mec. Elle ressemble vraiment à un garçon. Elle est toute plate, elle a les cheveux rasés, elle met une cravate. Les autres disent que c'est un travelo.

Quelle drôle de conversation, se dit Louise. On se croirait dans un show de téléréalité. Thème de l'émission de ce samedi : *J'ai changé de sexe, et alors ?*

— C'est sans doute une ado qui n'est pas très bien dans sa peau.

Louise regretta l'expression, car Alice n'était « pas très bien dans sa peau » non plus.

— Les autres lui envoient des SMS pour la traiter de transsexuel.

— Mais c'est n'importe quoi ! s'insurgea Louise.

— Et du coup, elle ne vient plus au collège.

Alice raconta les choses dans le détail, la photo d'Ella qui circulait, les ragots de Jimmy et de Mélanie, et les moqueries qui étaient devenues des insultes. Louise finit par lâcher le mot harcèlement et même cyberharcèlement. Alice acquiesça, soulagée. Elle avait besoin que les choses soient nommées. Qu'on lui dise où est le bien, où est le mal.

– C'est super bon, leur nouvelle recette, fit-elle en engloutissant la fin de son hamburger.

En sortant du McDo, elle demanda à sa mère ce qui allait se passer ce dimanche.

– C'est comme tu veux, lui répondit Louise. Je peux te conduire chez ton père. Paul restera chez son copain.

– Papa va encore faire sa crise... C'est pas croyable comment il est jaloux de Sauveur !

Crac. Le bandeau qui aveuglait Louise se déchira. Mais bien sûr, c'était ça. Jérôme était jaloux de Sauveur. Thème de l'émission de ce samedi : *Au secours, mon ex m'aime toujours !*

Louise et Alice s'embrassèrent à la va-vite dans la voiture devant l'immeuble de Selma, sans être conscientes qu'elles venaient de s'aider l'une l'autre.

Rue des Murlins, Louise fut accueillie par les boys dans la cuisine. Bidule était sur la table, mais aussi le petit Sergent.

– On fait les présentations, expliqua Paul à sa maman.

Louise s'inquiéta de ce que les hamsters avaient la réputation d'être agressifs entre eux.

– Pas Bidule, dit Paul, qui avait une entière confiance dans son petit compagnon.

D'ailleurs, celui-ci trottina gentiment vers Sergent et non moins gentiment lui grimpa sur le dos.

– Mais c'est quoi, ça ? s'écria Lazare.

Bidule, partisan d'une natalité soutenue, voulait encore œuvrer pour la Patrie.

— Mais c'est pas possible ! fit Paul, des larmes dans la voix. C'est son frère.

— C'est un peu plus compliqué que ça, rectifia Gabin, tout en faisant retomber Bidule. Allez, ouste, pchi, à la niche ! Tchô, ce débauché ! Il s'attaque aux mineures !

Bidule réintégra sa cage, sans manifester de culpabilité.

— Maintenant, il faut trouver un autre nom pour Sergent, dit Gabin.

— Pourquoi ? fit Paul.

— Mais parce que c'est la SŒUR de Bidule ! lui corna Lazare aux oreilles.

— C'est encore un peu plus compliqué, intervint Gabin, parce que c'est aussi sa FILLE, vu qu'il l'a eue avec sa mère.

— Mais je veux l'appeler Sergent ! s'obstina Paul.

— Cool. Le premier hamster transgenre.

Louise décida de mettre un terme aux élucubrations de Gabin et demanda où était passé Sauveur.

— Il installe Jovo dans le bureau du premier, lui répondit Lazare.

C'était donc le légionnaire qui allait occuper le canapé-lit initialement prévu pour Alice… Par moments, Louise se disait que le 12 rue des Murlins était un endroit où elle n'avait peut-être pas sa place. Cette sensation s'accentua une demi-heure plus tard quand elle se retrouva à table avec Paul, Lazare, Gabin, Jovo et Sauveur. La maison des garçons. Et elle, que faisait-elle là ?

— Maman, ferme les yeux ! dit alors Paul.

Louise balbutia : « Que je ?... » puis obéit sans discuter. Il y eut un petit remue-ménage. On éteignit la lumière.

— Tu peux rouvrir les yeux !

Sauveur posa devant Louise un magnifique gâteau au chocolat, constellé de bougies, tandis que les boys chantaient la chanson du Chapelier fou : *« Un joyeux non-anniversaire ! À qui ? À vous ! À moi ? Un joyeux non-anniversaire, ma chère ! »*

— On voulait te faire une surprise ! s'écria Paul, surexcité.

Louise, cherchant ses mots pour remercier, les regarda l'un après l'autre. Paul, le naïf, et Lazare, le perspicace. Gabin, le loufoque, et Jovo, l'aventurier. Puis Sauveur, le sauveur. Elle perdit pied. Où était passée sa vie ? Pourquoi n'était-elle pas rue de la Lionne avec Alice et Paul ? Quand s'était-elle perdue dans cet univers parallèle ? Elle se leva précipitamment pour aller cacher ses larmes dans la véranda et elle entendit dans son dos la petite voix de Paul, perturbé, qui demandait :

— Elle est contente ou pas contente ?

Elle n'aurait pas su le dire. Elle était juste bouleversée. Un instant plus tard, elle sentit un bras qui enveloppait ses épaules, et l'hypnotiseur lui murmura à l'oreille :

— Ça va venir, Louise. Tu te sentiras chez toi, ici. Et Alice sera là.

*
* *

Il avait tout lu, même en anglais, même en allemand, il avait regardé toutes les vidéos disponibles, écouté tous les extraits musicaux, il en avait perdu le sommeil entre minuit et trois heures du matin. Depuis huit jours, Samuel pensait de façon continue à André Wiener. Le programme du samedi à la mairie du IVᵉ arrondissement, il le connaissait par cœur. Il s'achèverait sur la *Sonate pour piano n° 3* de Scriabine. Il avait trouvé un CD de Wiener à la Fnac et se le passait en boucle quand il était seul. Lui qui ne savait rien de la musique, il éprouvait physique-ment le toucher aérien du pianiste en état de grâce tout autant que sa façon brutale d'empoigner le piano. Par moments, une pensée le traversait, c'était même une dou-leur fulgurante : et si ce n'était pas mon père ? Avait-il bien entendu le nom ? N'était-ce pas un nom très répandu ? Peut-être sa mère avait-elle menti à l'assistante sociale ? Sauveur lui avait dit qu'il ressemblait à André Wiener, mais qu'avait-il en commun avec lui ? Des yeux très noirs. Pour le reste, il avait trop de joues, une coupe de cheveux abominable, des dents pas très bien rangées. Son front manquait de noblesse, les tourments d'une vie d'artiste ne s'étaient pas imprimés sur ses traits. Ah si, les mains, il avait les mêmes, un peu courtes pour des mains de pianiste, mais très effilées. Il en venait à adorer tout ce qui le faisait ressembler à Wiener et à détester tout ce qui le différenciait.

Madame Cahen, qui était aux aguets, avait flairé quelque chose. Son fils se lavait, il cirait ses chaussures.

— Tu te fais beau ce matin, ricanait-elle. *Elle* est de ta classe ?

Samuel buvait son chocolat le matin, il mettait son linge sale dans le panier. Sa docilité même était suspecte. Sa mère entrait encore plus souvent dans sa chambre sans crier gare. Elle soulevait ses copies, ses cahiers, elle faisait du tri dans ses vêtements, elle cherchait elle ne savait quoi. Une lettre. Une adresse. Une photo. La trace d'une fille. Samuel portait le CD à même la peau, coincé par un tee-shirt qu'il recouvrait d'un sweat.

Le samedi matin, il n'avait pas encore pris sa décision. Le concert avait lieu à 18 heures, le train de 16 h 28 pouvait le conduire à temps. C'était la dernière chance avant longtemps, André Wiener partant ensuite en tournée au Canada, puis à Shanghai. Est-ce que sa mère se doutait de ses intentions ou n'était-ce qu'une coïncidence ? Ce samedi après-midi, elle avait obtenu un congé de la brasserie.

— Tu veux aller au cinéma ? proposa-t-elle à son fils.

— Non, j'ai un exposé à faire pour la rentrée.

Madame Cahen ne s'en étonna pas. Samuel avait toujours été un élève appliqué. L'école était son refuge, les études, sa façon de s'isoler à la maison.

Il avait de quoi se payer le billet de train. Quant au concert, il était indiqué sur le site que l'entrée était libre. Ce devait donc être gratuit, offert par la Ville de Paris. De la maison à la gare, en courant, il y avait vingt minutes. Cinq minutes pour prendre un billet. S'il partait à 16 heures, il aurait son train. Il ne cessait de consulter l'heure sur son téléphone. Sa mère, entrant par deux fois dans sa chambre, l'avait fait sursauter affreusement. 15 h 40. 15 h 50. Elle entra encore, elle rôda autour de lui, faisant semblant de ranger, de nettoyer.

— C'est quoi, ton travail ?

— Mais tu arrêtes d'être dans mon dos ! Je ne peux pas me concentrer.

— Tu ne fais rien. Tu rêvasses. Tu peux bien me dire comment *elle* s'appelle.

Elle se mit à lui parler des amours qu'il avait eues à la maternelle. Il lui racontait toutes ses petites histoires à l'époque. 16 heures. Samuel se sentait devenir fou. Il fallait qu'il attrape son blouson, qu'il mette ses chaussures. L'argent, il l'avait déjà glissé dans la poche de son jean. 16 h 05.

— Maman, tu peux me laisser travailler tranquille ?

Elle lui fit un clin d'œil qui se voulait complice.

— Tu veux l'appeler, c'est ça ? Tu sais, on cache pas grand-chose à une maman. Tu n'es plus le même depuis une semaine. Tu te pomponnes, tu mets de l'after-shave.

Samuel crut malin de partir sur cette fausse piste.

— Bon, tu as gagné, fit-il en se levant, j'ai rendez-vous dans dix minutes place d'Arc.

Il voulut se diriger vers sa penderie pour y prendre un blouson, mais sa mère s'était déjà placée sur sa trajectoire.

— C'est qui ? Je la connais ? C'est la petite brune de l'autre jour ? Elle doit fumer du hasch, vu les yeux qu'elle a.

Samuel se déporta vers la gauche et réussit à entrebâiller la porte de son placard.

— Non. C'est pas elle. Tu ne la connais pas.

— Elle est de ton lycée ? C'est une pute qui couche avec tout le monde ?

Samuel eut juste le temps d'extraire le blouson. Un peu plus, et sa mère lui fermait la porte sur la main.

— Écoute, elle ne se drogue pas, elle ne se prostitue pas, fit-il en essayant de garder son calme. Il y a des tas de filles normales avec qui on peut aller prendre un café.

— Il y a aussi des tas de filles qui vous refilent des maladies ou qui se font mettre enceintes exprès ! s'écria madame Cahen.

Son fils voulait lui échapper. Son fils voulait s'enfuir. Elle paniquait.

— Tu n'as pas l'âge de tout ça, attends encore, le supplia-t-elle, l'agrippant par le bras. On est bien ici, non ? Qu'est-ce que tu veux que je te fasse pour ton goûter ? Des gaufres ?

Il se baissa pour ramasser ses chaussures, mais comme il n'avait plus qu'une main disponible, il fit tomber son blouson. Elle le ramassa d'un geste de confiscation. La colère montait en lui. Il allait la tuer. Il commença par la décramponner d'un mouvement brusque du bras.

— Rends-moi mon blouson !

— Non, tu l'auras pas, dit-elle en le cachant derrière son dos.

Elle avait pris un air mutin, comme s'il s'agissait d'un jeu.

— Mais qu'est-ce que tu crois ? Que tu vas m'enfermer

ici ? fit-il sur un ton qui indiquait que lui ne plaisantait pas.

— Frappe-moi, vas-y, frappe-moi, fais comme ton père ! le provoqua-t-elle. Tu as les mêmes yeux que lui quand tu me parles comme ça. C'était un fou. Un obsédé sexuel ! Il ne pensait qu'à ça. Coucher, coucher, coucher !

André Wiener. L'imprévisible, le fascinant André Wiener. Le Voltigeur. Elle le traînait dans la boue comme elle l'avait toujours fait.

— Tu mens, tu mens, je ne te crois plus.

— Tu as son sang pourri dans les veines. Si je ne te protège pas, tu finiras comme lui.

— Oui, je finirai pianiste ! Un pianiste qu'on applaudit à Paris, à Shanghai, à Toronto ! hurla-t-il.

D'un geste terrible de violence, il poussa sa mère contre le mur. Le choc fut tel qu'elle s'écroula sans un cri. Et lui, sans vérifier si elle était morte ou encore en vie, il lui reprit son blouson et, ses chaussures à la main, il courut vers la porte d'entrée, puis dévala les escaliers. Il ne se chaussa qu'au bas des marches. 16 h 10. C'était encore possible. Il partit en courant. Mais si elle est morte ? Mais si elle est morte ? lui répétaient ses pas, martelant le bitume. Quand il arriva dans le hall de la gare, le train pour Paris était affiché quai numéro un, et le haut-parleur annonçait son départ imminent. Samuel se jeta dans le premier wagon et, titubant, alla s'effondrer sur un siège. Son cœur battait de façon si désordonnée que la douleur le plia en deux, et il resta quelques instants, recroquevillé,

mains sur la tête. Quand il se redressa, il aperçut un képi.
Dans sa confusion mentale, il crut que c'était un policier
et eut un mouvement pour fuir. Au même moment, il
entendit l'annonce faite par haut-parleur :

– Les voyageurs n'ayant pas eu le temps de composter
leur billet sont priés de se signaler au contrôleur lors de
son premier passage.

Il leva la main comme à l'école.

– Monsieur !

Le contrôleur s'approcha.

– Je… j'ai l'argent pour le billet, bafouilla Samuel.
Mais j'ai attrapé le train au vol.

– Y a pas de souci, fit le jeune contrôleur. Remettez-
vous… Je passerai tout à l'heure.

– Mm… merci.

Soudain, le monde entier ne fut plus que bienveillance. La vieille dame en face de Samuel lui sourit. Le
soleil se glissa entre les nuages et éclaira le wagon. «Je vais
à Paris, je vais voir papa», et plus rien ne comptait que
ces mots-là. Le concert commencerait par du Debussy,
puis ce serait Schumann, et enfin cette sonate de Scriabine, dont il connaissait maintenant par cœur les quatre
mouvements. *Drammatico. Allegretto. Andante. Presto con
fuoco.* À la fin du concert, il s'avancerait vers le pianiste
avant qu'il disparaisse dans la coulisse et il lui tendrait le
livret de son CD à dédicacer. Il tâta son sweat pour vérifier que le boîtier était toujours en place, sous le tee-shirt,
à même la peau. Puis il sortit de sa poche de jean un petit

papier sur lequel il avait indiqué son itinéraire de la gare d'Austerlitz à la place Baudoyer, où se trouvait la mairie du IVe arrondissement, lieu du concert. Deux kilomètres. Samuel préférait les faire au pas de charge qu'essayer de trouver son chemin en métro. Il n'était venu à Paris que deux ou trois fois avec sa mère, et les transports en commun l'avaient effaré. Il s'aperçut alors, en regardant par la fenêtre, que le train était à l'arrêt en rase campagne. Le contrôleur, tout aussi observateur que lui, fit cette annonce par haut-parleur :

— Notre train est arrêté inopinément. Pour votre sécurité, nous vous demandons de ne pas tenter d'ouvrir les portes ni de descendre sur la voie.

Samuel jeta un regard inquiet à la vieille dame, qui le tranquillisa.

— Ça arrive tout le temps.

Cette immobilité forcée le fit revenir en pensée vers celle qu'il avait laissée derrière lui. Il prit son téléphone et envoya un texto à sa mère. **Ça va ? Je te demande pardon pour tout à l'heure.** La réponse lui revint dans la minute. **Je suis aux urgences. Je vois trouble. Viens me chercher.** Donc, elle était vivante, et comme d'habitude elle dramatisait pour qu'il culpabilise. Il éteignit son portable, et au même moment, le contrôleur fit l'annonce suivante :

— Des outils ayant été laissés sur la voie, suite à des travaux, notre train est arrêté pour une durée indéterminée. Je vous tiendrai informés dès que j'en saurai davantage.

Samuel avait une telle foi enfantine dans la toute-puissance maternelle qu'il eut l'impression que sa mère avait trouvé le moyen de se mettre une fois de plus en travers de son chemin. Il regarda les passagers autour de lui. Aucun d'eux ne protestait contre les imbéciles qui laissaient traîner leurs brouettes sur la voie ferrée. Usagers réguliers du train régional, ils avaient déjà eu droit au cours de la semaine à l'animal divaguant sur les rails, à l'accident de personne en gare d'Étampes, aux grévistes descendus du quai sur la voie, et au conducteur de locomotive qui n'avait pas mis son réveil à sonner. Cependant, personne dans le compartiment n'était tenté de croire que la SNCF était de mèche avec les mères de famille castratrices.

Quand il aperçut le jeune contrôleur filant dans la rangée, l'air très affairé, Samuel leva le doigt.

— M'sieur !

— Pour votre billet ? Écoutez, pour cette fois, ce n'est pas grave...

— Non, c'est à propos de l'arrêt. Cela va durer longtemps ?

— Je vous tiendrai informé dès que j'en...

— C'est que j'ai un rendez-vous très important ! l'interrompit Samuel. C'est une question de vie ou de mort !

Le contrôleur et la vieille dame, traversés par la même pensée que ce pauvre garçon était amoureux, échangèrent un demi-sourire.

— Je me renseigne et je reviens vers vous, fit le jeune contrôleur, compatissant.

Mais dix minutes plus tard, il n'avait pas reparu, le train était toujours à l'arrêt, et les voyageurs apathiques tournaient les pages de leur livre ou pianotaient sur leur iPhone, en lâchant à peine un soupir de temps en temps. Samuel se rongeait le poing. Alors, il avait fait tout cela pour rien ? Frapper sa mère, lui révéler qu'il savait qui était son père ! Il était dans un train au milieu de nulle part, quand il arriverait à Paris, il ferait nuit noire, et puis il avait faim. Et envie de pleurer. Soudain, une petite secousse se fit sentir. Le train repartait, et le jeune contrôleur, triomphant, fit savoir aux voyageurs que la voie était dégagée et qu'ils arriveraient en gare d'Austerlitz avec un retard approximatif de vingt minutes. La SNCF vous priait de bien vouloir l'excuser.

— Putain, fit Samuel derrière son poing.

Il avait tout calculé au plus juste, pensant que la vie ressemblait à une addition du type : 17 h 32 + 20 minutes de marche = j'arrive au début du concert. Mais en fait, non. La vie est une somme d'emmerdements, ce que savaient tous les voyageurs du compartiment.

Quand Samuel, jaillissant du train, sauta sur le quai, il était 18 heures, l'heure à laquelle commençait le concert. Sortant de la gare en courant, il partit comme une flèche le long des quais de la Seine, comme indiqué sur son plan, mais dans la mauvaise direction. Il s'en rendit compte au bout de cinq minutes et repartit dans l'autre sens, au bord du désespoir et de la crise cardiaque.

Pendant ce temps, André Wiener avait joué Debussy, il

entamait à présent Schumann dans l'atmosphère ouatée de la salle de concert, tandis que son fils, pleurant sans s'en apercevoir, courait à n'en plus pouvoir, au risque de se faire écraser par un autobus ou de renverser un cycliste. Rue Saint-Paul, il tourna sur lui-même. Où est-ce que je suis ? Où est-ce que je vais ?

— La place Baudoyer, s'il vous plaît ?

— Vous y êtes presque. C'est tout droit.

Enfin, la mairie ! Le concert doit être terminé, songea Samuel, mais je verrai peut-être mon père. Il tâta le sweat. Oui, le boîtier était toujours là.

— Vous allez où, monsieur ? l'interpella le planton, à l'entrée de la cour d'honneur.

— Le... le concert.

— Mais ça fait un moment qu'il est commencé.

— Oui, je sais. Le train avait du retard... S'il vous plaît, laissez-moi entrer. C'est mon père qui joue.

Le planton hésita, se demandant s'il avait affaire à un cinglé.

— S'il vous plaît, répéta Samuel en essuyant les larmes qui coulaient de ses yeux.

— Bon, mais sur la pointe des pieds, hein ?

Le gardien l'accompagna jusqu'à la porte, qui était restée entrouverte. Le silence régnait dans la salle. Était-ce fini ? Samuel se faufila par l'entrebâillement. La salle était plongée dans la pénombre, mais là-bas sur l'estrade et sous les projecteurs, assis devant le piano à queue, André Wiener se tenait immobile, concentré. Veste noire, chemise blanche, visage livide, chevelure sombre. Samuel aperçut une chaise vide tout au bout d'une rangée, la seule chaise vide, parce que son occupant, un jeune homme, s'était mis debout, adossé au mur, sans doute pour mieux voir le jeu du pianiste. Samuel s'affaissa sur le siège plus qu'il ne s'assit, non parce qu'il avait couru, mais parce que les premiers accords tragiques plaqués sur le piano lui coupèrent les jambes. C'était la *Sonate n° 3* de Scriabine. *Drammatico*.

Il en reconnaissait chaque note, mais transfigurée, parce que le piano, aveuglant comme un soleil noir, était là, présent, chaud, vivant. Le pianiste faisait corps avec lui. Son visage passait de la douleur à l'extase, tandis que ses mains tantôt attaquaient le clavier, tantôt caressaient les touches, puis se relevaient une fraction de seconde, souples, blanches et muettes, avant de galoper à nouveau du grave à l'aigu et de l'aigu au grave. Et Samuel prit peur. Il avait lu que son père était imprévisible, qu'il accrochait parfois une touche. Wiener était sujet à des défaillances, certes à cause du stress, mais surtout parce qu'il entrait en transe. La musique le traversait, et c'était beau à voir, beau à en couper le souffle de l'assistance. Parfois, une secousse le rejetait en arrière, sa chevelure romantique faisant merveille, puis l'instant d'après, il se tassait au-dessus de son clavier, ses doigts distillant la musique goutte à goutte. Dernier mouvement. *Con fuoco*. Avec feu. La fièvre s'empara de lui, de son jeu toujours plus nerveux, le laissant parfois languide et abattu, puis de nouveau frissonnant, de nouveau frénétique, jusqu'aux trois derniers accords, où il mit tout ce qu'il y avait en lui de fureur brutale. Alors, comme l'avait prédit Scriabine, « il tombe foudroyé dans l'abîme du Néant ». Samuel eut la sensation de rester suspendu au-dessus du vide, tandis que le jeune homme, debout à côté de lui, exhala un soupir de souffrance. Puis toute la salle se délivra de cette longue tension en applaudissant à tout rompre le Voltigeur qui l'avait emmenée si loin, si haut, sans trébucher.

— Bravo! Bravo! crièrent certains.

Lui s'était levé et, la main posée sur le piano, il s'inclina avec une telle élégance qu'il semblait accorder une faveur au public plutôt que solliciter ses applaudissements. La lumière s'étant rallumée dans la salle, Samuel put constater que les spectateurs étaient assez âgés, exception faite d'une petite bande de jeunes gens des deux sexes, sans doute musiciens, et sûrement amoureux de Wiener. Parmi eux, il y avait le jeune homme qui était resté debout et qui se précipita vers la coulisse dès que le virtuose eut quitté la scène. Samuel lui emboîta le pas, le CD à la main en guise de prétexte. Il entendit le jeune homme qui s'écriait:

— André, change-toi! Je t'ai mis une chemise derrière le paravent.

Samuel entra sans frapper dans ce qui était une sorte de loge d'artiste improvisée. Wiener l'aperçut.

— Oui? fit-il avec brusquerie.

— C'est... pour une dédicace, dit Samuel, tendant vers lui le livret.

– Vraiment ? Antoine, tu as un stylo ?

Le jeune homme chercha l'objet demandé tandis que Wiener et Samuel se dévisageaient.

– Vous êtes… ?

– Samuel.

– Je mets : « Pour Samuel » ? fit Wiener, cherchant l'emplacement où il pourrait signer sur le livret.

– Samuel Cahen.

Wiener avait un léger tic lorsqu'il était ému ou troublé. Il clignait des yeux plus souvent et plus fort, ce qu'il fit à ce moment-là.

– Antoine, tu peux me laisser un moment ?

– Mais le maire nous attend, répondit le jeune homme, qui faisait office d'imprésario.

– Qu'il attende, laissa tomber Wiener.

Il avait une façon de parler très particulière en ouvrant à peine les lèvres, ce qui lui donnait une diction un peu dédaigneuse. Antoine jeta un regard mécontent à l'intrus, mais quitta la pièce sans discuter.

– J'ai connu une Line Cahen, dit Wiener, tout en signant le livret.

– Ma mère.

– J'étais très jeune. Sans argent. Elle m'a hébergé quelque temps.

– Hébergé, répéta Samuel, un peu surpris.

– Un an. Peut-être deux, dit Wiener, tendant le livret signé à bout de bras.

– Mais… je suis votre fils, ou pas ? bredouilla Samuel.

— C'est ce qu'elle vous a dit ?

— Elle ne m'a rien dit. J'ai deviné. Enfin, j'ai cru...

La porte de la loge s'ouvrit, et Antoine passa la tête.

— Excuse-moi, mais il faut y aller... On est invités au restaurant.

— Antoine, je suis en pleine scène de famille. Peux-tu m'accorder deux minutes ? Je viens de retrouver mon fils.

— Ton fils ? fit l'autre, ébahi.

— Oui. Ferme la porte, s'il te plaît.

Ce qu'Antoine fit rageusement, s'attirant ce commentaire :

— Jalousie pathologique.

Puis un sourire, le premier que Samuel vit sur son visage, détendit les traits de Wiener. Un sourire plus moqueur qu'affectueux.

— Est-ce que tu as envie d'avoir un père ?

— Je n'en ai pas eu. Ça m'a un peu manqué, répondit Samuel, imitant la désinvolture de son père.

Il voyait bien que Wiener, quelles que soient ses émotions, aimait jouer au *Bel Indifférent*. Mais le clignement d'yeux était revenu.

— Crois-tu que quelqu'un peut m'appeler papa ?

*
* *

Il était 22 heures, et Sauveur passa mentalement en revue tous ceux qui étaient sous son toit. Donc, il y avait à la cuisine madame Gustavia et le Sergent transgenre. Au grenier, Gabin avec Sauvé. Dans la chambre des enfants, Lazare et Paul, en compagnie de Bidule. Dans le canapé-lit du bureau, Jovo, qui avait peiné à monter l'escalier. Restait Louise dans la chambre presque conjugale. Au fond, une famille traditionnelle, trois enfants, leur papy et leurs parents.

— Si le monde n'a absolument aucun sens, conclut pour lui-même Sauveur à voix haute, qui nous empêche d'en inventer un ?

Louise, déjà au lit, qui faisait semblant de lire *Sommes-nous tous des malades mentaux ?*, releva le nez.

— C'est de toi ?

— Ça pourrait, mais c'est de Lewis Carroll... C'est très joli, cette chose à trous que tu portes.

— Cela s'appelle une nuisette en dentelle ajourée.

— Il faudrait que je me trouve ça. Je n'ai même pas de pyjama.

Il baissa l'intensité de la lampe halogène et ôta son sempiternel sweat du week-end, siglé Columbia University. Louise lui jeta un regard en coin et se demanda une fois de plus comment elle s'y était prise pour avoir comme « bon ami » un type aussi extraordinaire. Il s'assit, torse nu, au bord du lit, et la regarda avec cette attention presque gênante que lui donnait sa pratique de théra-peute. Elle baissa les yeux. Oui, il était amoureux d'elle, mais l'était-il assez pour l'aider à conquérir ce qu'elle voulait ?

— Tu crois qu'on va y arriver ? lui dit-elle.

— À quoi donc ?

Cherchant ses mots, elle les posa un à un devant elle.

— À... reconstruire... une famille. Même si Jérôme et Pimprenelle font tout ce qu'ils peuvent pour nous en empêcher. Parce que... c'est le cas, non ?

— Mm, mm, confirma Sauveur.

Petit silence. Puis :

— On va y arriver. Je crois même qu'on pourrait faire un bébé.

Elle tressaillit. Elle ne lui avait jamais avoué sa frustration de ne pas avoir eu un troisième enfant.

— Comment... comment tu as deviné ?

— Tu regardes trop les poussettes dans la rue.

Elle lui passa les bras autour du cou.

✧ ✧ ✧ *Espace réser...*

— C'est ton téléphone qui a sonné, chuchota Louise.

— J'ai entendu.

C'était un SMS.

— À cette heure-ci, qui ça peut être ?

— Je ne sais pas. Peut-être un de mes patients qui menace de se défenestrer si je ne lui trouve pas un hamster.

— Tu veux aller vérifier ? fit Louise, compréhensive.

— Non, je ne veux pas. Mais je vais le faire quand même.

Il se leva un peu trop vite et dut se rasseoir au bord du lit.

— Qu'est-ce qui t'arrive ?

— Tension trop basse, dit-il en se redressant.

Il avait posé sur une commode ses deux téléphones, le personnel et le professionnel, et il s'aperçut que celui qui clignotait dans la pénombre, c'était le vieux Nokia que lui empruntait parfois son fils. Qui pouvait l'appeler à cette heure de la nuit sur son portable personnel ?

— Samuel Cahen, fit-il tout bas.

Bonsoir ! Je suis à Paris, j'ai vu André Wiener en concert. Scriabine. Formidable. Pas une fausse note. Je sais que je ne suis plus en thérapie avec vous, mais vous m'avez dit qu'on pouvait se revoir en amis. J'ai besoin de vous parler. De vous parler de Wiener. Vous avez vu juste. Ce n'est pas un ange, ce n'est pas une brute, et il a l'air super compliqué. J'ai dîné au restaurant avec lui, il m'a présenté à plein de gens en disant : Samuel, mon fils.

— Rien de grave ? questionna Louise.

— Non, non, pas de problème, dit Sauveur.

Il restait lié à Samuel par le secret de la thérapie. C'est donc dans le secret de son cœur qu'il savoura la dernière phrase du message.

Grâce à vous, Sauveur, ce soir, j'ai appelé quelqu'un PAPA.

*Nos excuses à ceux qui s'y connaissent en hamsters
et auront démasqué nos cochons d'Inde sur la couverture,
et pour ceux qui ne connaissent rien aux skons,
voici Pépé le putois :*